改訂第2版

筋弛緩薬を知りつくす

日本大学教授 鈴木 孝浩／著

克誠堂出版

序文
—改訂第2版—

　初版"Clear Q＆A 75 筋弛緩薬を知りつくす"を改訂する機会をいただきましたことは、私にとりまして大変光栄であるとともに、第1版をご購入、ご拝読いただきました方々への感謝の念に堪えません。

　本書は、一見、難解に感ずる神経筋生理や、日々頻用していながら気づいていない筋弛緩薬およびその拮抗薬の作用特徴、そして臨床的に有用かつ信頼できる筋弛緩モニタリングのためのコツとポイントに関し、まずはご興味を持っていただけるようQuestionを厳選し、そして無理なく理解できるようAnswerを平易かつ簡潔に詳解することを目的としております。第1版では75項目のQ＆Aを取り上げましたが、その後に湧き出た疑問や、臨床麻酔にさらに役立つ内容を盛り込み、本書では88項のQ＆Aをまとめることができました。また、初版の75項目すべてを見直し、本文および図表の追記・削除と推敲を適宜行いました。読者の皆様には、知見の幅をよりいっそう広げていただけることと思っております。

　現状、臨床かつ研究においては筋弛緩モニタリングの機種が十分でなく、読者の皆様もお困りのことと拝察いたします。本書で主に扱っているTOFウォッチ®も販売終了となっている中、改訂版にこの内容を含めることを躊躇いたしましたが、私どもも含め、いまだTOFウォッチ®を使用されている施設が多いこと、Q＆Aの内容が筋弛緩モニタリング全般に通じる必要知識であることから、第1版と同様に継続して掲載させていただいております。今後登場が待たれる新規モニターについては解説できておりませんが、この点はご容赦いただき、また別の機会に触れさせていただけましたら幸いです。

　最後になりましたが、初版"Q＆A 75"に改訂の機会を与えてくださいました克誠堂出版株式会社代表取締役であられる今井 良様、編集部の土田 明様に改めて深謝申し上げます。

2020年8月吉日

鈴木　孝浩

初版 序文

　麻酔科の門を叩き、初めて全身麻酔を担当した際、ポリクリでの麻酔見学時の印象にも増して、改めて麻酔薬の凄さに驚嘆したのを鮮明に覚えております。初の麻酔で緊張下にありながら、サイオバルビツレートによる急速な催眠と呼吸抑制、スキサメトニウムの筋線維束攣縮後の筋弛緩、このダイナミックな効果が自分の目前で発現したのです。マスク換気やその後の気管挿管が上手くできなかったことはさておき、まさに医師になったことを実感した瞬間でありました。麻酔手技は当然のことながら、机上での薬理学・生理学的知識の吸収に明け暮れる毎日でありましたが、1～2カ月が経過したころ、恩師である鈴木 太教授がフレッシュマンを集め、筋弛緩薬の講義をしてくださいました。神経終末からのアセチルコリン遊離への筋弛緩薬の作用に関する内容でありましたが、浅学の自分には先生の仰られていることが半分も理解できない反面、先生が傾注されてきた神経筋生理や筋弛緩薬研究へ参加したい、学びたいと触発されたのがこのタイミングでありました。PubMedなどない時代、文献検索するには重要論文の参考文献から必要な論文を孫引きし、図書館に雑誌のコピーを取りに行くというスタイルでした。新しい知識を得るには少し時間と労を要したのです。しかし、本書を刊行するにあたって、臨床や研究で自分自身が抱いてきた、そして後輩たちから寄せられた素朴なQuestionに答えるために、時間を割いて調べてきたことはけっして無駄ではなかったなと、本書を手に取り感慨無量であります。改めて恩師への感謝の念に堪えません。

　本書には、麻酔の専門書にはあまり解説されていない内容を含めており、その点で興味を持って読んでいただけるのではないかと思っております。とにかく平易な記述とし、図表を多く挿入することで、少しでも苦もなく読んでいただけるよう、理解していただけるよう努めたつもりです。まとまった時間も要せず、毎日、少しずつ、知見を集積していただけるのではないでしょうか。

　最後になりましたが、浅学な私に創本の機会を与えてくださいました克誠堂出版株式会社代表取締役であられる今井 良様、編集部の土田 明様に深謝申し上げます。

2017年1月吉日

鈴木　孝浩

I 薬理編

- Q1 神経筋の化学的伝達とは、どういうこと？ ——3
- Q2 興奮収縮連関とは？ ——5
- Q3 安全域とは？ ——7
- Q4 筋弛緩薬は、受容体にどのように結合するの？ ——10
- Q5 筋弛緩薬は、終板の受容体以外にも作用するの？ ——12
- Q6 脱感作性ブロックやオープンチャネルブロックとは、どんなブロック？ ——15
- Q7 Respiratory sparing effect とは、どんな効果？ ——18
- Q8 末梢性筋弛緩薬は、中枢神経系への作用はあるの？ ——21
- Q9 筋弛緩薬は、飲んでも効くの？ ——24
- Q10 ロクロニウムの血管外漏出が起きたときには、どうしたらいいの？ ——25
- Q11 低力価の筋弛緩薬のほうが、速く効き出すのはなぜ？ ——27
- Q12 ロクロニウムの作用発現は、循環状態に影響されるの？ ——30
- Q13 プライミングテクニックと、プレキュラリゼーションとは？ ——32
- Q14 タイミングプリンシプルとは？ ——35
- Q15 麻酔導入時、マスク換気ができない場合に筋弛緩薬を投与するの？ ——37
- Q16 気管挿管スコアとは？ ——39
- Q17 お腹が硬いと言われないためには？ ——41
- Q18 腹腔鏡手術では、深い遮断が必要なの？ ——44
- Q19 筋弛緩薬が効きにくい人、いるよね？ ——47
- Q20 筋弛緩薬の効果に性差はあるの？ 人種差はどう？ ——50
- Q21 高齢者では、筋弛緩薬が効きやすくなるの？ ——52

I 薬理編

- Q22 小児での筋弛緩薬の作用が、分かりにくいのは？ ——54
- Q23 肥満患者での投与量は実測体重、それとも理想体重換算？ ——57
- Q24 妊婦での筋弛緩薬の作用変化は？ ——60
- Q25 脳波モニターには影響するの？ ——62
- Q26 筋弛緩薬が、MACを下げるって本当？ ——64
- Q27 ロクロニウムとスガマデクスは、胎盤を通過するの？ ——67
- Q28 電気痙攣療法には、スキサメトニウムとロクロニウムのどちらがいいの？ ——68
- Q29 ロクロニウムに肝機能障害が影響するのは分かるけれど……どの程度？ ——70
- Q30 蓄積性——ベクロニウムにあって、ロクロニウムにはないの？ ——72
- Q31 肝切除時のロクロニウム——いつもどおり投与していいの？ ——75
- Q32 異なる筋弛緩薬を併用してはいけないの？ ——77
- Q33 ICUの重症患者に、筋弛緩薬を投与してはいけないの？ ——79
- Q34 麻酔薬はどの程度、筋弛緩薬の作用に影響するの？ ——81
- Q35 硬膜外麻酔による運動神経遮断で、筋弛緩薬はいらないの？ ——83
- Q36 カルシウムは分かるけれど、カリウムが影響するの？ ——87
- Q37 頭部挙上ができれば大丈夫？ ——89
- Q38 ロクロニウム投与後、何分経ったらリバースはいらないの？ ——91
- Q39 抗コリンエステラーゼは、なぜ使われなくなったの？ ——93
- Q40 スガマデクスの用量設定の根拠は？ ——96
- Q41 スガマデクス投与後に、ロクロニウムの血中濃度は上がるの？ ——99
- Q42 スガマデクスは代謝されるの？ ——101

目次

I 薬理編

- Q43 スガマデクスの効果に影響する因子はあるの？ ——— 103
- Q44 スガマデクスには、アナフィラキシー以外の副作用はあるの？ ——— 106
- Q45 ロクロニウムのアナフィラキシーの際、スガマデクスは投与すべき？ ——— 108
- Q46 麻酔導入時のアナフィラキシーで手術中止——さて、その後はどうする？ ——— 111
- Q47 残存筋弛緩は、患者安全をどのように損なうの？ ——— 114
- Q48 呼吸筋の筋弛緩からの回復＝安全な呼吸回復じゃないの？ ——— 117
- Q49 スガマデクスは、残存筋弛緩を回避できるの？ ——— 119
- Q50 ネオスチグミンとスガマデクスの併用で、再クラーレ化を防げるの？ ——— 123
- Q51 重症筋無力症患者には、スガマデクスは通常量でいいの？ ——— 126
- Q52 スガマデクスは、術後せん妄を軽減できるの？ ——— 129
- Q53 スガマデクス投与後の再挿管は、どうするの？ ——— 131
- Q54 再クラーレ化は、なぜ起こるの？ ——— 134
- Q55 呼吸性アシドーシスで、再クラーレ化が生じるのはなぜ？ ——— 136
- Q56 d-ツボクラリンは、どんな筋弛緩薬だったの？ ——— 138
- Q57 スキサメトニウムは、どのように高カリウム血症を誘発するの？ ——— 141
- Q58 ベンジルイソキノリン系は、本邦で使えるようになるの？ ——— 143
- Q59 新しい筋弛緩薬や拮抗薬の開発は、進んでいるの？ ——— 146
- Q60 ボトックス®も、アセチルコリン受容体に作用するの？ ——— 148

目次

Ⅱ モニター編

- Q61 利き腕と逆の腕、モニターはどちらに着けるの？ ——— 153
- Q62 電極の貼り方は？ ——— 155
- Q63 なぜ、2Hz-TOF刺激が用いられるの？ ——— 157
- Q64 適切な神経刺激の大きさは？ ——— 159
- Q65 TOFウォッチ®のキャリブレーションとは？ ——— 161
- Q66 刺激の矩形波とか、パルス幅って、なに？ ——— 163
- Q67 刺激ができない場合の対処は？ ——— 165
- Q68 刺激されているのに、TOF比が表示されないのは？ ——— 167
- Q69 反応値がばらつく場合の対処法は？ ——— 168
- Q70 Direct stimulationとは、どのような状態なの？ ——— 171
- Q71 Staircase phenomenonとは、どのような現象なの？ ——— 173
- Q72 TOF比のノーマリゼーションとは、どういう意味？ ——— 175
- Q73 TOFウォッチ®に皮膚温計が付いている理由は？ ——— 177
- Q74 筋弛緩薬の薬力学的評価のための測定項目は？ ——— 179
- Q75 TOFカウント消失＝挿管のタイミングじゃないの？ ——— 181
- Q76 作用発現時間は、神経刺激法によって変化するの？ ——— 183
- Q77 ポストテタニックカウントのメカニズムは？ ——— 186
- Q78 主観的評価と客観的評価の違いは？ ——— 189
- Q79 TOF比の評価にコントロールがいらないとは、どういう意味？ ——— 191
- Q80 TOF比＞0.7が、至適回復のgold standardだったはず？ ——— 193
- Q81 ダブルバースト刺激とは？ ——— 195

目次

Ⅱ モニター編

- Q82　単収縮刺激の使い道は？————————————————————197
- Q83　筋収縮反応が100％に回復しなかった場合のデータは、どう扱うの？——199
- Q84　神経刺激を長時間継続しても大丈夫？——————————————202
- Q85　腕が使えないときは、どうするの？———————————————204
- Q86　重症筋無力症患者の筋弛緩モニタリングは、母指でいいの？————208
- Q87　片麻痺患者では、どちら側でモニタリングすればいいの？—————211
- Q88　TOFウォッチ®以外のモニターは？————————————————213

索　引————————————————————————————————215

I

Clear Q & A 88

薬理編

神経筋の化学的伝達とは、どういうこと？

　神経筋刺激伝達は電気的伝達だけでなく、化学的伝達も一役を担っています。電気的伝達は神経の刺激伝達に始まり、終板電位、筋膜電位変化を起こし、最終的に筋小胞体に伝搬されます。この途中で神経と筋の間でなされるのが化学的伝達で、伝達物質であるアセチルコリンを介するシナプス伝達を意味します（図1）。運動神経終末にはアセチルコリンを10^4個含んだシナプス小胞が多数存在します。安静時にも1秒に1個程度のシナプス小胞がactive zoneに結合し、開口分泌によりアセチルコリンが放出され、この際に記録される1mV程度の電位を微小終板電位（miniature end-plate potential：MEPP）といいます。運動時や神経刺激時には、神経終末に届いた神経脱分極は電位依存性カルシウムチャネルを介し、カルシウムイオンを神経内に大量に引き込みます。カルシウム濃度の増大により、持続的な筋収縮にも耐えられるように貯蔵型シナプス

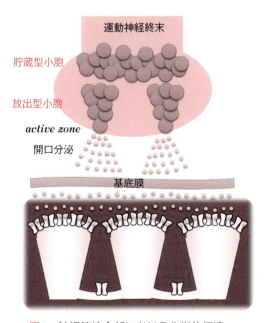

図1　神経筋接合部における化学的伝達

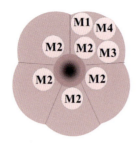  

静止時　　　刺激時

図2　アセチルコリン結合の受容体反応
受容体を上部から見て、各サブユニット内面のイオンチャネル部分はM2で構成されている。サブユニットの模式図として、分かりやすいように5つのうち3つのサブユニットを表しているが、受容体刺激時にはチャネルの狭窄部が広がるようにサブユニットが回旋する。
S：セリン、T：スレオニン、L：ロイシン
[Unwin N. Acetylcholine receptor channel imaged in the open state. Nature 1995；373：37-43より改変転載]

小胞から放出型シナプス小胞へと動員が進みます。神経刺激時には数百個の小胞からアセチルコリンが放出されますので、総数10^6個が神経筋接合部内に放出されます。一部基底膜に存在するコリンエステラーゼで分解されますが、終板電位（end-plate potential：EPP）を起こすのに足りうるアセチルコリン量の約5倍量が潤沢に放出されており、これが伝達物質放出の安全域ということになります。

　筋型ニコチン性アセチルコリン受容体は、α_1サブユニットが2つ、β、δ、εサブユニットが1つずつの5量体で、各サブユニット内のアミノ酸配列は4つのポーション（M1～M4）に分かれていて、イオンチャネルは各サブユニットのM2により形成されています（図2）[1]。受容体静止時には、各サブユニットのM2で構成されるkink部分でチャネルは閉鎖されています。この狭窄部には疎水性、高分子のロイシンが露出し、イオンを通過させにくくなっています。アセチルコリンが協同して2つ結合すると、受容体にはアロステリックな変化が生じ、各サブユニットが回旋することでロイシンリングが広がります。同時に親水性アミノ酸であるセリンやスレオニンがチャネル面に露出し、ナトリウムやカリウムイオンの通過を容易にします。これにより終板に活動電位が生じ、再び電気的伝達に変換されます。

●文献
1）Unwin N. Acetylcholine receptor channel imaged in the open state. Nature 1995；373：37-43.

興奮収縮連関とは？

アセチルコリンによる化学的伝達によってアセチルコリン受容体が開くと、Na^+やCa^{2+}が終板内に流入し、終板電位が誘起され、再び電気的伝達に変換されます。終板電位は受容体周囲の電位依存性ナトリウムチャネルの活性化を周囲に向かって繰り返しながら、脱分極がT細管（横行小管）を介して筋細胞深部へ伝搬されます（図1）。深部ではこのT細管と2つの筋小胞体で三つ組構造を取っており、T細管表面の電位依存性カルシウムチャネル（ジヒドロピリジン受容体）が開口し、流入したCa^{2+}がリアノジン受容体に結合すると、筋小胞体終末槽からCa^{2+}が筋細胞質へ大量に放出されます。このカルシウム誘発性カルシウム放出（Ca^{2+}-induced Ca^{2+} release）が異常亢進しているのが悪性高熱症ですよね。筋細胞中では細いアクチンフィラメントと太いミオシンフィラメントが段々に重なり合っています。アクチンフィラメントには筋弛緩を司っているトロポミオシンが並走し、そして、そのトロポミオシン上にはトロポニンが載っています

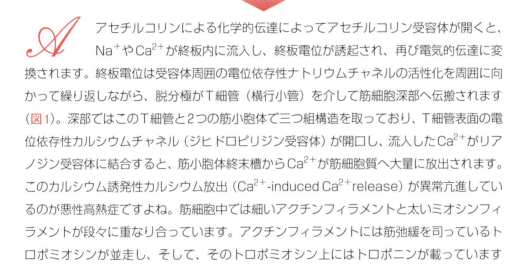

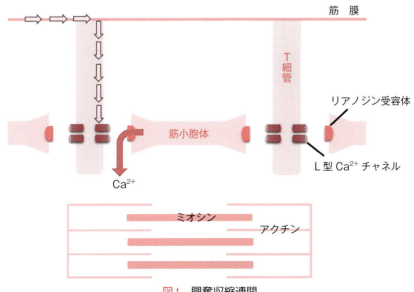

図1　興奮収縮連関

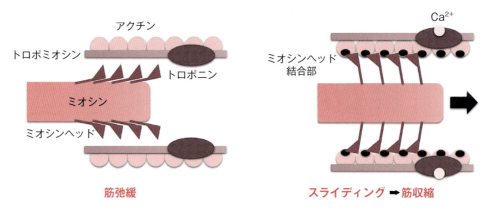

図2　骨格筋収縮のスライディング理論

（図2）。トロポミオシンはアクチンとミオシンの結合、滑走を阻害する主役を担っています。筋小胞体から放出されたCa^{2+}がトロポニンに結合すると、まずトロポミオシンの位置がずれて、アクチン上のミオシンヘッド結合部が露出されます。ここにミオシンヘッドが結合し、ATP（アデノシン三リン酸）エネルギーで"舟を漕ぐオールのような動き"をすることでフィラメント同士がスライディングし、筋収縮が起こります。

安全域とは？

　薬理学の領域で安全域といえば、ある薬物の致死量と有効量の比〔例：LD_{50}（50％致死濃度）/ED_{50}（50％有効量）〕を表しており、少量で効果を発現する一方、大量に使用しないと毒性を発揮しない場合に安全域が広いと表現します。筋弛緩薬の場合は本来毒薬ですから、効果そのものが毒性であり、有効量＝致死量であるため、薬理学的な安全域とは別の意味で用います。"筋弛緩薬は安全域が広い"と、よく耳にすると思いますが、本来であれば、"神経筋刺激伝達の安全域が広い"というのが正しい表現であり、これはある骨格筋の収縮力と、その筋に存在する受容体のうち、機能している受容体と筋弛緩薬などにより遮断されている受容体比率との関係から表現されます。

　図1のように、終板にアセチルコリン受容体が10個あるとします。そのうちの10個全部にアセチルコリンが結合した場合には、当然、筋は最大収縮力を発揮します。それでは10個のうち7個に非脱分極性筋弛緩薬が結合すればどうでしょう？　30％の受容体しか機能しなくとも、筋は同じように収縮できるのです。10個中8個の受容体が遮断されて、初めて筋弛緩薬に感受性の高い筋線維から収縮ができなくなる結果、総筋収縮力が減少し始め、90％以上の受容体が遮断されると、筋弛緩薬に感受性の低い筋線維も収縮できなくなり、その筋単位は不動化します。つまり約75％以上の受容体が非脱分極性遮断に至らないと、その筋には筋弛緩作用が発現しない[1] という意味で、"安全域が広い"のです（図2）。呼吸筋である横隔膜はさらに広い安全域を有し、全体の90％の受容体が遮断されないと筋弛緩

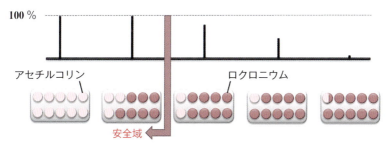

図1　ロクロニウムの受容体占拠率と筋弛緩作用の関係

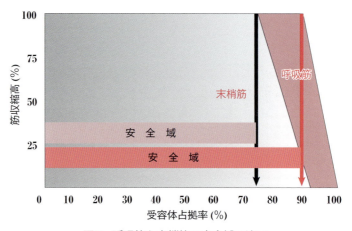

図2　呼吸筋と末梢筋の安全域の違い

作用は発現しません。これがrespiratory sparing effectの一因でもあります。"安全域が広い"という表現は、あくまで非脱分極性筋弛緩薬使用時に適用する表現であり、受容体に20％程度の空きがあれば十分効果を発揮できる脱分極性筋弛緩薬には当てはまりません。

　安全域という概念とともに、安全率という用語もあります。例えば耐荷重量が100 kgと表示された棚があるとします。この棚に100 kg以上の物を載せていき、どこまで耐えられるかを検査したとします。250 kgの物を載せた際に棚が壊れたとすると、この棚の耐荷重量の安全率は　250／100＝2.5　と表現されます。つまり100 kgという表示は、2.5倍の安全率を有するということになります。これは終板のアセチルコリン受容体にも適用され、ある終板における25％の受容体がアセチルコリンの結合により開けば、100％の受容体が活性化されたときと同じように終板電位が発生するわけですから、100／25＝4というのがシナプス後の安全率ということになります（図3）。もうひとつ、神経終末から放出されるアセチルコリンについても、シナプス前の安全率を考えなければいけません。なぜなら、アセチルコリンの放出量が少なければ、終板電位は筋の脱分極閾値を越えられず、筋収縮が生じないわけですから。図4を見てください。1つの終板にアセチルコリン受容体は約100万個存在します。このうち25％の25万個の受容体が開けば、十分な終板電位が発生します。各受容体には2つのアセチルコリン結合部位があり、この2つが同時にアセチルコリンで占拠されれば、受容体チャネルが開き、Na^+が細胞内に流入し、終板電位を誘発します。つまりアセチルコリン分子は、25万×2＝50万個が接合部内に放出される必要があります（ここでは、アセチルコリンエステラーゼの存在は無視してください）。通常、1回の運動神経脱分極で数百万個のアセチルコリンが開口分泌されます。これを200万個として計算すると、シナプス前の安全率、つまりはアセチルコリン放出の安全率は200／50＝4となり、終板のアセチルコリン受容体の安全率と同じになりますね。神経筋刺激伝達は広

図3 シナプス後の安全率
AChR（acetylcholine receptor）：アセチルコリン受容体、EPP（endplate potential）：終板電位、SF（safety factor）：安全率

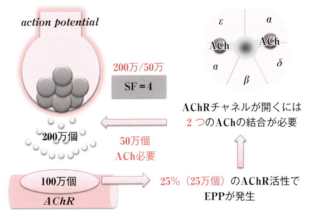

図4 シナプス前の安全率
ACh（acetylcholine）：アセチルコリン、AChR（acetylcholine receptor）：アセチルコリン受容体、SF（safety factor）：安全率、EPP（endplate potential）：終板電位

い安全域、十分な安全率をもってなされているのです。

●文献
1) Waud BE, Waud DR. The margin of safety of neuromuscular transmission in the muscle of the diaphragm. Anesthesiology 1972；37：417-22.

筋弛緩薬は、受容体にどのように結合するの？

I 薬理編

　伝達物質であるアセチルコリンも筋弛緩薬も、筋型ニコチン性アセチルコリン受容体の主にαサブユニットに結合して、イオンチャネルの開閉を担います。筋型アセチルコリン受容体は5つのサブユニット、2つの$α_1$と1つずつのβ、δ、ε（γ）から構成されます。成熟型受容体はεを含み、未熟型（胎生型）受容体は代わりにγを含みます。実はアセチルコリンや筋弛緩薬の受容体への結合は、αサブユニットだけでなく、隣接するδとε（γ）も非常に重要で、これらサブユニットをすべてほかのサブユニットに変換したり、一部のアミノ酸配列を点変異したりすると、アセチルコリンや筋弛緩薬の受容体結合率が極端に低下します。つまりアセチルコリンや筋弛緩薬はαサブユニットのみでなく、α/δ境界面、α/ε（γ）境界面に結合するというのが正確な表現となります（図1）。

　非脱分極性筋弛緩薬はα/ε、α/δ接合面の2つの結合部位のうち、1つを占拠してしまえば、その受容体チャネルは開きません。それぞれの筋弛緩薬によって好結合部位が異なることが示唆されており、例えばd-ツボクラリンはα/ε接合面、ベクロニウムやパンク

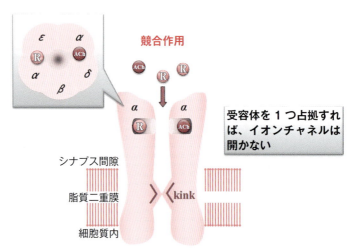

図1　アセチルコリンと筋弛緩薬の受容体結合部位
R：ロクロニウム、ACh：アセチルコリン

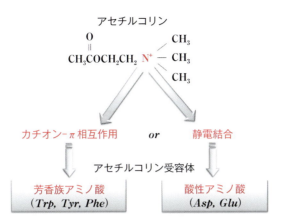

図2 アセチルコリンと筋弛緩薬の受容体アミノ酸との結合様式
Trp：トリプトファン、Tyr：チロシン、Phe：フェニルアラニン、Asp：アスパラギン酸、Glu：グルタミン酸

ロニウムはα/δ接合面に結合しやすく、ロクロニウムには部位選択性は認められません[1]。サブユニット構成を野生型（wild type）の$(\alpha_1)_2\beta\varepsilon\delta$から$(\alpha_1)_2\beta\delta_2$に転換すると、d-ツボクラリンの効果は減弱し、ベクロニウムとパンクロニウムの効果は増強することになります。あるいはd-ツボクラリンとベクロニウムを混ぜて使用すると、単独で使用する場合と比較して筋弛緩効果に相乗作用が認められますが、これはこの一部の好結合部位の差に起因すると考えられます[2]。

各受容体サブユニットは、400〜500個のアミノ酸配列より成っています。つまりアセチルコリンや筋弛緩薬は、このうちの数種のアミノ酸に結合することになります。結合様式としては2つあり（図2）、アセチルコリン、筋弛緩薬内の陽性荷電されている4級アンモニウムが負電荷の酸性アミノ酸、例えばアスパラギン酸、グルタミン酸と結合する静電作用と、ベンゼン環内の電子配置によって部分的負電荷を発揮する芳香族アミノ酸であるチロシン、トリプトファン、フェニルアラニンと結合するカチオン-π（中間子）相互作用が挙げられます。受容体のどのアミノ酸が筋弛緩薬との結合力を決定するのかは詳細には分かっていませんが、各筋弛緩薬によって結合するアミノ酸が異なることが示唆されています。マウスの受容体での研究結果ですが、例えばd-ツボクラリンの場合、εサブユニットのアミノ酸配列で173番目のアスパラギン酸が、パンクロニウムやベクロニウムではδサブユニットの180番目のアスパラギン酸が結合力に影響することが分かっています[3]。

● 文献

1) Liu M, Dilger JP. Site selectivity of competitive antagonists for the mouse adult muscle nicotinic acetylcholine receptor. Mol Pharmacol 2009；75：166-73.
2) Liu M, Dilger JP. Synergy between pairs of competitive antagonists at adult human muscle acetylcholine receptors. Anesth Analg 2008；107：525-33.
3) Dilger JP, Vidal AM, Liu M, et al. Roles of amino acids and subunits in determining the inhibition of nicotinic acetylcholine receptors by competitive antagonists. Anesthesiology 2007；106：1186-95.

筋弛緩薬は、終板の受容体以外にも作用するの？

筋弛緩薬は、神経筋接合部中のシナプス後部、つまり終板に存在する筋型のニコチン性アセチルコリン受容体〔$(α_1)_2βδε$〕に結合し、筋弛緩作用を現します。これ以外に運動神経末端に存在するであろう神経型の受容体（$α_3β_2$など）にも結合することが推定されています。非脱分極性筋弛緩薬による部分遮断時に運動神経を連続的に電気刺激、例えばTOF（train-of-four）刺激やテタヌス刺激を行うと、支配筋の収縮反応に減衰反応（フェード）が認められますが、このメカニズムとして、古くからシナプス前理論[1]が唱えられていました。刺激が神経終末に達すると貯蔵型小胞が放出型小胞に動員されたあと、アセチルコリンがシナプス間隙に開口分泌されます。アセチルコリンは終板の筋型受容体に結合するのと同時に、非筋弛緩状態では神経終末にポジティブフィードバックをかけ、アセチルコリンの動員と放出を維持するように働きます。ところが、非脱分極性筋弛緩薬が神経終末に作用すると、アセチルコリンを介したフィードバックがかからなくなり、アセチルコリンの動員が維持できず、放出型小胞が枯渇することにより、神経刺激中にアセチルコリンの放出が漸減し、フェードが起こるというメカニズムです（図1）。

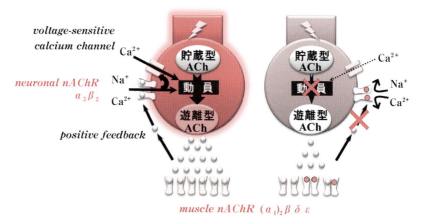

図1　動員機構と非脱分極性筋弛緩薬による抑制
ACh：アセチルコリン，nAChR：ニコチン性アセチルコリン受容体

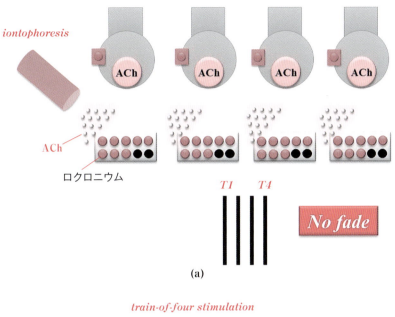

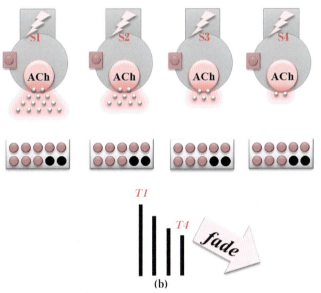

図2 減衰の神経終末機構を証明する研究結果
ACh：アセチルコリン

　筋弛緩薬のシナプス前作用を裏付ける重要な研究[2]）があるのですが、非脱分極性遮断中に運動神経電気刺激を行うと筋収縮にフェードが認められるのに対し、イオントフォレーシスでアセチルコリンを終板に作用させた場合にはフェードが認められないという結果を示しました（図2-a）。これが意味するところは、アセチルコリン量を変えずに連続的に終板に作用させればフェードしないわけですから、フェードが認められるということは神経終末からのアセチルコリンの放出量が刺激ごとに漸減しているということになります（図2-b）。

つまり非脱分極性筋弛緩薬が神経終末に作用し、おそらくニコチン性アセチルコリン受容体やそのほかの受容体機能を抑制し、アセチルコリン放出に制限をかけていると考えられます。一方、脱分極性筋弛緩薬は神経終末からのアセチルコリンの放出を促進させ、アセチルコリン放出を促すことで、脱分極性遮断を促進すると考えられます。

TOF刺激などの連続刺激は、終板機能を評価するとともに、運動神経終末機能をも評価できる点で、臨床麻酔では重視されているのです。

●文献
1) Bowman WC, Prior C, Marshall IG. Presynaptic receptors in the neuromuscular junction. Ann NY Acad Sci 1990 ; 604 : 69-81.
2) Gibb AJ, Marshall IG. Examination of the mechanisms involved in tetanic fade produced by vecuronium and related analogues in the rat diaphragm. Br J Pharmacol 1987 ; 90 : 511-21.

脱感作性ブロックや オープンチャネルブロックとは、 どんなブロック？

　脱感作という言葉は、アレルギーの治療法として耳にすることが多いと思います。アレルゲンを投与し続けることで、感作から脱する方法です。神経筋刺激伝達では、アセチルコリンなどのアゴニストを終板に作用させ続けると、最初はチャネルを介した細胞質内外のNa^+とK^+のイオン交換による脱分極を起こすのですが、時間とともにアセチルコリン受容体が作用しなくなり、イオンチャネル電流が減衰することを表します。広範な受容体チャネルに脱感作が生ずると、結果的に筋反応にも減衰が生じ、脱感作性ブロックが観察できます。例えば、抗コリンエステラーゼが過剰な状態を想定してみてください。抗コリンエステラーゼはアセチルコリンエステラーゼを抑制することから、アセチルコリンが代謝されず、神経筋接合部内濃度が増加する結果、非脱分極性筋弛

図1　抗コリンエステラーゼ＝アセチルコリンを介した競合拮抗
antiChE：抗コリンエステラーゼ、ACh：アセチルコリン、NMBA：神経筋遮断薬

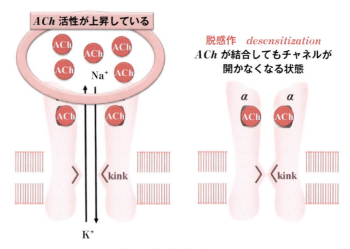

図2　脱感作性ブロック
ACh：アセチルコリン

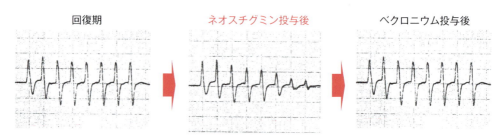

図3　ネオスチグミンによる脱感作性ブロック（自験データ）

緩薬と競合し、アセチルコリン受容体を奪い、脱分極を起こします（図1）。非脱分極性筋弛緩から十分に回復しているにもかかわらず、念のためネオスチグミンを投与したあととか、重症筋無力症患者で治療薬とされるピリドスチグミンが過量な状況、コリン作動性クリーゼなどの状況ではどうなるでしょう？　神経筋接合部ではアセチルコリン量が増大し、終板のアセチルコリン受容体が脱感作状態となるのです（図2）。図3には、ネコの坐骨神経刺激下に腓腹筋より導出した筋複合活動電位を示しています。ベクロニウム筋弛緩からの回復後は、100Hzのテタヌス刺激下でも筋複合活動電位は維持されていますが、ここでネオスチグミンを投与したあとには逆に活動電位が減衰し、脱感作性ブロックが生じています。この際、筋弛緩効果を現さないごく少量のベクロニウムを投与すると、この脱感作が解除され、減衰が消失するという不思議な現象が認められる特徴があります。呼吸筋や上気道筋にこのような脱感作が生じた場合、上気道閉塞、換気量減少を招いてしまいます。スガマデクスであれば、このような奇異な合併症を招くことはありません。最初はネオスチグミンで拮抗し、回復が不十分なためにそのあとスガマデクスを投与するという状況は、脱感作性ブロックを生じさせる危険性があり、避けるべきでしょう。

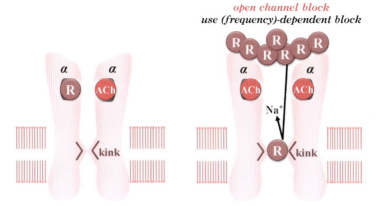

図4 オープンチャネルブロック
R：ロクロニウム、ACh：アセチルコリン

　オープンチャネルブロックとは、アゴニストであるアセチルコリンが受容体チャネルを開いた際に、その中に筋弛緩薬分子がはまり込んで塞栓する結果、チャネル電流が発生できない状況を指します（図4）。局所麻酔薬のナトリウムチャネル遮断の際のブロック様式として、皆さん、よくご存じでしょう。チャネルが開く頻度が高いほどブロックが生じやすいため、頻度依存性ブロックとも呼ばれていますが、臨床ではどのようなときに起こりうるのでしょうか？　それは筋弛緩程度が強いとき、つまり筋弛緩薬分子数が神経筋接合部に多数存在する間に受容体チャネルを開くと、ブロックが起こりやすくなりますから、臨床麻酔の状況としては、まだ深部遮断にあるのに抗コリンエステラーゼを投与した場合が当てはまります。

Respiratory sparing effect とは、どんな効果？

A 分かりやすい訳語がないのですが、「麻酔科学会用語集（第5版）」では"呼吸運動遺残効果"と訳されています。筋弛緩薬への感受性は骨格筋の種類によって異なります。手足などの末梢筋に比較して、呼吸を担う喉頭筋や横隔膜は非脱分極性遮断が得られにくいため、投与量によっては母指などの筋では完全遮断されても、呼吸運動が残存することがあります。皆さんがよく経験されるのは、"母指ではTOF（train-of-four）カウントが消失して、筋弛緩が効いているはずなのにバッキングした！　だからモニターは信用ならない！"といった状況でしょう。これはモニターの精度の問題ではなく、使う側の認識不足によるものです。末梢筋が遮断されていても、生命維持に重要な呼吸筋は筋弛緩効果に抵抗します。この現象は、矢毒にクラーレを用いていた狩猟民族にとっては好都合であったことでしょう。四肢には筋弛緩効果が発現し、逃げられなくなった状態でも、呼吸運動が残存していれば、食肉として腐敗しにくく、より保存が効くからです。

　ロクロニウムの平均ED_{95}（95％有効量）を比較してみると、母指内転筋では0.3mg/kgですが、横隔膜では0.5mg/kgと有意に大きくなります。つまりロクロニウム0.6mg/kgを投与後に気管挿管する場合、効果発現に十分な時間をとっても、声帯が動いたり、横隔膜運動が発現したりすることが多いのはこのためです。一般的に個人差が大きいとされる筋弛緩薬の気管挿管に適する投与量は、母指内転筋で測定されたED_{95}の2～3倍量（0.6～0.9mg/kg）と設定されています。しかし、本来であれば呼吸筋のED_{95}である0.5mg/kgの2倍量、つまり1mg/kg程度を用いるべきで、この際には安全な気管挿管状態が得られます。

　それではなぜ、呼吸筋には非脱分極性筋弛緩薬が効きにくいのでしょうか？　まずは赤筋と白筋の構成比率が関連すると、古くから提唱されていました。赤筋は非脱分極性筋弛緩薬が効きやすく、白筋は効きにくい筋線維に分類されますが、母指内転筋の構成比率は赤筋：白筋＝約75％：25％、横隔膜は約50％ずつです。この比率からは横隔膜が効きにくいといえるでしょう。この筋組成の違いによる筋弛緩薬の効果差には、アセチルコリン受

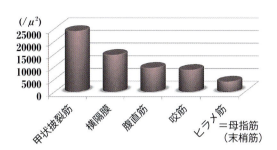

図1　筋線維単位断面積あたりのアセチルコリン受容体数の比較
[Ibebunjo C, Srikant CB, Donati F. Morphological correlates of the differential responses of muscles to vecuronium. Br J Anaesth 1999；83：284-91のデータをもとに作成]

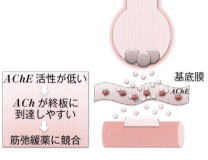

図2　横隔膜では末梢筋と比較して、基底膜上に存在するアセチルコリンエステラーゼ（AChE）活性が低い

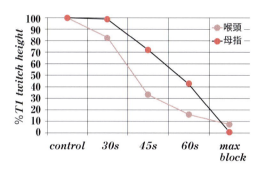

図3　ロクロニウム0.6mg/kg投与後の筋弛緩推移（自験例）

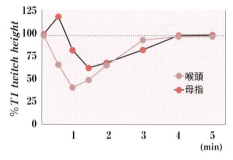

図4　スキサメトニウム0.25mg/kg投与後の筋弛緩推移
[Meistelman C. Neuromuscular effects of succinylcholine on the vocal cords and adductor pollicis muscles. Anesth Analg 1991；73：278-82のデータをもとに作成]

容体密度の違いが大きく影響します。単位面積あたりの受容体数は横隔膜で有意に多いため（図1）[1]、そのぶん、高用量が必要となります。安全域の面でも、母指内転筋では75％以上の受容体が遮断されて初めてその筋線維に筋弛緩作用が発現しますが、横隔膜では一筋線維上の受容体の90％以上の占拠が必要になります。また、横隔膜では神経終末からのアセチルコリン放出量が多く、かつアセチルコリンエステラーゼ活性が低いため（図2）、神経筋接合部内のアセチルコリン濃度が高く維持されやすい点で、非脱分極性筋弛緩薬を競合拮抗しやすいことも関連すると考えられます。

　呼吸筋では、非脱分極性筋弛緩薬が効きにくいことをご理解いただけたと思います。母指内転筋と比較して、呼吸筋では筋弛緩の程度は弱いのですが、作用発現はむしろ呼吸筋で速いことに注意が必要です（図3）。これは中枢に位置する呼吸筋の血流量が多く、筋弛

緩薬の神経筋接合部への到達が速いためと説明されます。

　respiratory sparing effectとは非脱分極性筋弛緩薬に認められる現象であり、脱分極性筋弛緩薬投与時には発揮されないことも知っておくべきでしょう。スキサメトニウムを少量投与した場合の反応ですが、喉頭筋で速く、そして強く筋弛緩効果が現れます（図4）[2]。これはアセチルコリン受容体が多いため、脱分極が速く伝わり、強く生じることに起因すると考えられます。この現象を考慮すれば、少しでも速く気道確保を達成したい状況下では、あえてスキサメトニウムを使うという手段もありうるのです。

●文献
1) Ibebunjo C, Srikant CB, Donati F. Morphological correlates of the differential responses of muscles to vecuronium. Br J Anaesth 1999；83：284-91.
2) Meistelman C. Neuromuscular effects of succinylcholine on the vocal cords and adductor pollicis muscles. Anesth Analg 1991；73：278-82.

末梢性筋弛緩薬は、中枢神経系への作用はあるの？

末梢性筋弛緩薬とは、ロクロニウムやスキサメトニウムのように末梢の神経筋接合部に作用し、骨格筋の筋弛緩効果を発揮する薬物です。一方、中枢性筋弛緩薬とは主に脊髄に作用する薬物で、筋紡錘や腱紡錘に生じた伸展がγ運動ニューロンを介して脊髄に伝搬され、α運動ニューロンへ伝達される過程でシナプス反射を抑制します（図）。ベンゾジアゼピンやバクロフェンが、この中枢性抑制により筋弛緩作用を発揮する代表薬です。

末梢性筋弛緩薬は基本的に血液中ではイオン化しており、血液脳関門を通過できないため、臨床においては中枢神経作用を気にする必要はありません。血液脳関門が破壊されている特殊な状況、例えば脳出血などの病変がある患者では静脈内投与後、脳脊髄液中に筋弛緩薬が検出されますが、その濃度は神経型ニコチン性アセチルコリン受容体に作用して神経興奮性の変調や呼吸抑制を誘発する濃度の1/1000以下であり[1]、臨床的には筋弛緩薬の直接的な中枢神経作用は考えにくいでしょう。筋弛緩薬の中枢神経毒性の実験的研究によると、アトラクリウムやその代謝物であるラウダノシンが海馬の興奮性シナプス伝導を増強し[2]、パンクロニウム、ベクロニウムが脳細胞内Ca^{2+}濃度を増加させ、痙攣を誘発する可能性[3]を有することが分かっています。ただし先述したように、臨床投与量の静脈内投与時には、この濃度にはとうてい達しません。

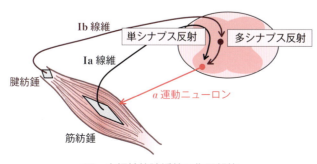

図　中枢性筋弛緩薬の作用部位

表　中枢への筋弛緩薬の代表的誤投与例

症例	筋弛緩薬・量	投与部位	状況
53歳 直腸膿瘍[4]	ロクロニウム 100 mg	仙骨硬膜外	局所麻酔薬と間違えて、ロクロニウムを仙骨ブロックに使用。注入時痛と灼熱感あり。注入15秒後（非常に速い！）、呼吸困難感自覚、呼吸管理を開始。注入50分後に拮抗し、後遺症なし。
35歳 帝王切開[5]	パンクロニウム 4 mg	くも膜下	投与15分後、筋弛緩効果発現。ネオスチグミンで拮抗。後遺症なし。
61歳 くも膜下出血[6]	ロクロニウム 100 mg	脳室内	気管挿管のためエトミデートとともに脳室内に誤投与された。痙攣はなく、1分後に意識消失と呼吸停止。数時間後に意識状態が投与前と同等に回復。

　実際、表[4]〜[6]に示したように、中枢神経系に末梢性筋弛緩薬を誤投与した報告例では、痙攣や中枢神経後遺症、神経筋後遺症は認められていません。中枢神経系に筋弛緩薬を誤投与した場合、その後に発現する筋弛緩作用への対応が重要であり、合併症を恐れて、慌てて拮抗する必要はないはずです。呼吸管理を行いながら筋弛緩からの自然回復を待つか、スガマデクスにより回復を促すか、手術の進行状況によって決定してよいと考えられます。

　脱分極薬のスキサメトニウムは頭蓋内圧を上昇させますが、これも中枢神経への直接作用ではありません。スキサメトニウムの筋線維束攣縮時に筋紡錘の興奮を惹起し、これが中枢神経系への伝達刺激となり、その結果、脳血流が増加することに起因します。プレキュラリゼーションにより、この効果が抑制される[7]ことからも、中枢への直接作用でないことが裏付けられます。

　神経興奮とは逆に、中枢神経抑制作用はないのでしょうか？　筋弛緩薬投与によりbispectral index（BIS）値が減少することから、筋弛緩薬には鎮静作用があるのではないかという議論がなされるようになりました。しかし注意しなければならないのは、BIS値には筋電図が干渉し、その値を増加させている可能性があることです。その場合、筋弛緩効果発現に伴い干渉が消失し、数値が下がるのは当然のことでしょう。実際、意識下のボランティアにスキサメトニウムを投与すると、筋弛緩の進行・回復とBIS値の減・増の推移が一致し、かつその間の意識状態は保たれていた[8]ことから、BIS値の増減で筋弛緩薬の鎮静作用の有無について判別できないことに加え、筋弛緩薬単独で鎮静を得るのは不可能であることを裏付けています。

●文献

1) Fuchs-Buder T, Strowitzki M, Rentsch K, et al. Concentration of rocuronium in cerebrospinal fluid of patients undergoing cerebral aneurysm clipping. Br J Anaesth 2004；92：419-21.
2) Chiodini FC, Tassonyi E, Fuchs-Buder T, et al. Effects of neuromuscular blocking agents on excitatory transmission and γ-aminobutyric acidA-mediated inhibition in the rat hippocampal slice.

Anesthesiology 1998 ; 88 : 1003-13.
3) Cardone C, Szenohradszky J, Yost S, et al. Activation of brain acetylcholine receptors by neuromuscular blocking drugs. A possible mechanism of neurotoxicity. Anesthesiology 1994 ; 80 : 1155-61.
4) Cesur M, Alici HA, Erdem AF, et al. Accidental caudal injection of rocuronium in an awake patient. Anesthesiology 2005 ; 103 : 444-5.
5) Pudeto VA, Gungui P, Di Martino MR, et al. Accidental subarachnoid injection of pancuronium. Anesth Analg 1989 ; 69 : 516-7.
6) Howell S, Driver RP. Unintentional intracerebroventricular administration of etomidate and rocuronium. Anesth Analg 2008 ; 106 : 520-2.
7) Minton MD, Grosslight K, Stirt JA, et al. Increases in intracranial pressure from succinylcholine : Prevention by prior nondepolarizing blockade. Anesthesiology 1986 ; 65 : 165-9.
8) Messner M, Beese U, Romstöck J, et al. The bispectral index declines during neuromuscular block in fully awake persons. Anesth Analg 2003 ; 97 : 488-91.

筋弛緩薬は、飲んでも効くの？

　　以前、腹部外傷の症例だったと思いますが、筋弛緩薬を十分に投与しているにもかかわらず、腸管が盛り上がって閉腹できず、無理に閉めたらコンパートメント症候群になりそうな際、麻酔科研修医が"胃管から入れたら効かないですかね？"と、一言ぼそっと漏らしました。その場は"効いたらいいね……"でさらっと逃げましたが……。真面目に説明していたら、研修医の面目を潰してしまいそうでしたから。外科医はその筋弛緩状態に当然納得していなかったため、私は溶解したベクロニウム 10 mg を清潔下に外科医に渡し、腹筋に筋注するよう命じました。当然、状態は変わりません。これでやっと筋弛緩薬の不足ではなく、腸管膨張の物理的問題と理解してもらえました。

　さて、本題に戻りましょう。筋弛緩薬は飲んでも効くのでしょうか？　皆さんは当然お分かりでしょうが、飲んで効くのなら、矢毒にクラーレを使った狩猟民族の食事は命がけということになってしまいますよね。

　ここでは Henderson-Hasselbalch の式が理解に役立ちます。

　pH ＝ pKa ＋ log［非イオン型］／［イオン型］

　胃内の pH は 1、d-ツボクラリン（dTc）の pKa は 9 ですので、胃内では dTc はほとんどがイオン化していることになります。イオン型の薬物は全身吸収されませんので、経口投与された筋弛緩薬は筋弛緩作用を発揮することなく、そのまま便中に排泄されるのです。

I 薬理編

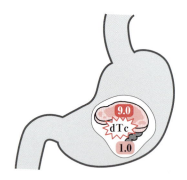

Q10 ロクロニウムの血管外漏出が起きたときには、どうしたらいいの？

A 病棟で確保してきた静脈路……麻酔導入時に点滴漏れに気づくこと、たまにありますよね。ロクロニウムを皮下投与した場合、どのような作用動態をとるのでしょう？ 効きが遅くて、そのぶん作用が延長しそうな気がしますが……この件について、正確にお答えできるロクロニウム投与時のデータはありません。以前使用されていたパンクロニウムでの研究データ[1]をもとに考えてみましょう。パンクロニウムは長時間作用性のステロイド型筋弛緩薬ですが、ED_{95}（95％有効量）の2倍量である0.1 mg/kgを静脈内投与、上肢に皮下投与、下肢に皮下投与して、その際の作用発現時間（最大遮断が得られるまでの時間）と作用持続時間とを比較しています。作用発現時間は静脈内投与の約3分に比較し、上肢皮下投与では約12分、下肢皮下投与では100分を超えるほど著明に延長していました（図1）。作用持続時間は図2に示すように、静脈内投与と上肢皮下投与には差が認められませんが、下肢皮下投与ではやはり回復にかなりの時間を要します。血流の差に起因すると推察されますが、下肢の点滴漏れの場合には、なかなか全身吸収されない点に注意しなければなりません。このデータに基づき考察すると、中時間作用性の

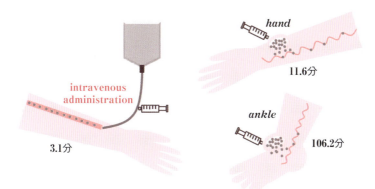

図1 投与経路別のパンクロニウム0.1 mg/kgの作用発現時間
[Iwasaki H, Namiki A, Omote T, et al. Neuromuscular effects of subcutaneous administration of pancuronium. Anesthesiology 1992；76：1049-51のデータをもとに作成]

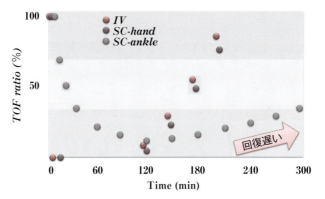

図2 投与経路別のパンクロニウム0.1 mg/kgの作用持続時間
IV：静脈内、SC-hand：上肢皮下、SC-ankle：下肢皮下
[Iwasaki H, Namiki A, Omote T, et al. Neuromuscular effects of subcutaneous administration of pancuronium. Anesthesiology 1992；76：1049-51のデータをもとに作成]

ロクロニウムであっても、皮下投与時には作用発現が遅れるでしょうし、下肢では作用時間も延長すると思われます。とくに動脈硬化や血流障害のある患者では、さらに著明に変化する可能性がありますので、モニタリングが必要となります。その場合でも、モニターによる筋弛緩効果の評価が、皮下漏出部のロクロニウムを含めていないことに注意が必要です。

　拮抗薬ですが、抗コリンエステラーゼは皮下漏出部のロクロニウムには効果がありません。受容体レベルで競合して、いったん神経筋機能が回復しても、漏出部のロクロニウムが徐々に全身循環に戻ることで再クラーレ化が生じる可能性があります。それに対しスガマデクスの場合は、まず血中のロクロニウムを包接することで、漏出部のロクロニウム分子は濃度勾配に従い全身循環に拡散されますので、十分量のスガマデクスが投与されれば再クラーレ化は回避できるはずです。ただし、皮下投与からまだ十分に時間が経過していない場合、TOF（train-of-four）カウントが回復するぐらいまで待機し、かつスガマデクスの投与量は推奨量よりも多めに設定したほうが安全と思われます。

● 文献

1) Iwasaki H, Namiki A, Omote T, et al. Neuromuscular effects of subcutaneous administration of pancuronium. Anesthesiology 1992；76：1049-51.

低力価の筋弛緩薬のほうが、速く効き出すのはなぜ？

まず、筋弛緩薬の作用発現時間に関与する因子を考えてみましょう。筋弛緩薬は神経筋接合部に移行して効果を発現するわけですから、静脈内投与されてから筋に到達するまでの時間や薬物運搬量は作用発現に大きく影響します。つまり、心拍出量や筋血流量が多いほど、作用発現時間が速まります。例えば、循環作動薬によってこの部分を変化させると、容易に作用発現時間が変化します。麻酔導入時にエフェドリンを併用すると、筋弛緩作用の発現は有意に速くなりますし、β遮断薬を併用すると逆に遅くなります（図1）[1]。相対的に心拍出量の多い若年者と、少ない高齢者間でも、この作用発現時間の関係は同様です。ショック状態にある患者では検討されていないと思いますが、作用発現は遅くなるはずです。

次に、シンプルに筋弛緩薬の投与量です。同じ筋弛緩薬であれば、当然投与量が多くなれば作用発現が速くなります。臨床投与量の範囲内では、この用量依存性の作用短縮には

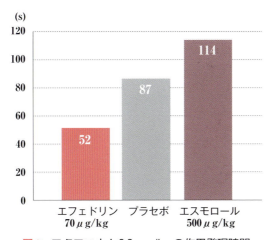

図1 ロクロニウム0.6mg/kgの作用発現時間

[Ezri T, Szmuk P, Warters RD, et al. Changes in onset time of rocuronium in patients pretreated with ephedrine and esmolol—The role of cardiac output. Acta Anaesthesiol Scand 2003 ; 47 : 1067-72のデータをもとに作成]

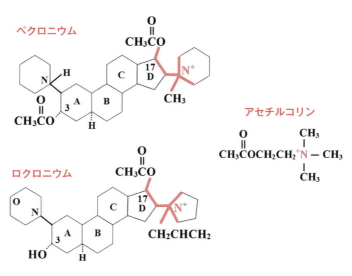

図2 ベクロニウム、ロクロニウムの構造差
どちらも4級アンモニウム部分にアセチルコリン様構造（▬線部分）を有していますが、ロクロニウムでは一部メチル基がアリル基に置換されており、これによりベクロニウムに比較して低力価となっている。

天井効果が認められます（実際は臨床投与量の範囲内でしか検討されていないため、それ以上の高用量投与時に、さらに作用発現が速くなるか否かは不明です）が、とにかく投与される筋弛緩薬量が多ければ、血中濃度が高まり、神経筋接合部への拡散分子が多くなります。筋弛緩薬の種類が異なってもこの理論は成り立ち、分子数が多いほど、つまり濃度勾配が高いほど神経筋接合部に拡散しやすいのです。同じ中時間作用性ステロイド型筋弛緩薬であるベクロニウムとロクロニウムで作用発現が異なるのは、投与する分子数の違いにあります。それぞれの分子量はベクロニウム638 g/mol、ロクロニウム610 g/molとほぼ同じですが、ED_{95}（95％有効量）はベクロニウム0.05 mg/kg、ロクロニウム0.3 mg/kgと、ロクロニウムは投与する分子数も6倍量になります。ちなみにロクロニウムの筋弛緩効果が弱いのは、アセチルコリン受容体に結合しうる4級アンモニウムを含むアセチルコリン様の構造部分において、メチル基がアリル基に置換されているためです（図2）。念のため計算しますが、アボガドロ数が$1 mol = 6 \times 10^{23}$個として、50 kgの人にそれぞれED_{95}量を投与すると、ベクロニウムは2.5×10^{18}個、ロクロニウムは15×10^{18}個の分子が投与されることになります。分子は濃度勾配に従って拡散しますので、ロクロニウムのほうが神経筋接合部内の分子数の増加は速いことになります（図3）。神経筋接合部内に侵入した筋弛緩薬は受容体に結合後、数ミリ秒後には解離するのですが、分子数が多ければ、すぐに多数の分子が違う受容体に結合できます。分子数が多いほど競合性が高まり、この結合と解離を優位に進められるのです。力価が低い筋弛緩薬ほどオンセットが速いのは、この理由によります。

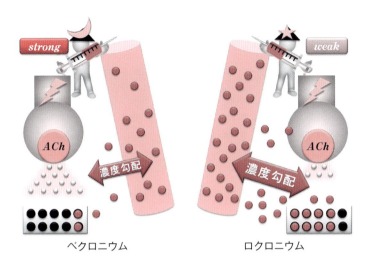

図3　神経接合部への筋弛緩薬の拡散は濃度勾配による
ACh：アセチルコリン

　もうひとつ作用発現に影響する因子として、buffered diffusionという理論があります。終板の上を覆うように神経終末が存在しますが、神経筋接合部内への筋弛緩薬の拡散はこの神経終末によって緩衝され、その緩衝度は薬物によって異なり、これが作用発現に影響するという理論です。ただし、この緩衝度の違いがどの程度、作用発現時間の差に関与するのかは明らかではありません。

　脱分極性筋弛緩薬と非脱分極性筋弛緩薬では、作用発現において違いはあるのでしょうか？　安全域理論から考えると、非脱分極薬は1つの終板において総受容体の90％以上占拠しないと終板電位を遮断できませんが、脱分極薬はその逆で、終板を脱分極させるには受容体の10〜20％を占拠すればいいことになります。つまり、作用機序から考えると、脱分極性筋弛緩薬のほうが作用発現は速いことになります。

●文献
1) Ezri T, Szmuk P, Warters RD, et al. Changes in onset time of rocuronium in patients pretreated with ephedrine and esmolol—The role of cardiac output. Acta Anaesthesiol Scand 2003；47：1067-72.

Q12 ロクロニウムの作用発現は、循環状態に影響されるの？

I 薬理編

A 当然のことながら、静脈内に投与された薬物は心臓に入り、動脈により各臓器に運搬されます。筋弛緩薬の場合には血管内から神経筋接合部に拡散され、作用を発揮します。組織へ拡散する速度は、薬物濃度など薬に備わる独自の特性ですので変えることは困難ですが、血管内移動速度は麻酔科医の手法でなんとか操作が可能です。心拍出量の大小とロクロニウムの作用発現時間とを比較してみると、心拍出量が多い患者のほうが、作用発現が速くなります（図1）[1]。つまり麻酔導入時にはプロポフォールや麻薬などの導入薬により、血圧や心拍出量が低下しやすいので、そこを代償することでロクロニウムの作用発現時間を速める（遅くならないようにするといったほうが適切かもしれません）ことができるのです。実際、前項（Q11 低力価の筋弛緩薬のほうが、速く効き出すのはなぜ？）にも記したように、エフェドリンやβ遮断薬を用い、心拍出量を変化させた際には作用発現時間に差が生じますが、エフェドリン投与時ではロクロニウムの作用発現が30秒ほど速くなっています[2]。高齢者ではもともと心拍出量が減少しており、筋弛緩薬の作用発現も遅いのですから、あくまで心血管系に異常の少ない高齢者にかぎっては、

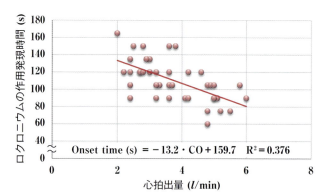

図1 心拍出量とロクロニウム1mg/kgの作用発現時間の関係
[Shiraishi N, Aono M, Kameyama Y, et al. Effects of cardiac output on the onset of rocuronium-induced neuromuscular block in elderly patients. J Anesth 2018；32：547-50のデータをもとに作成]

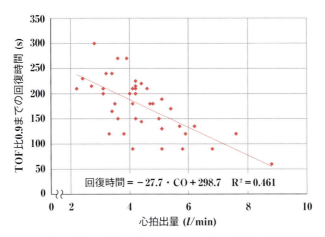

図2 心拍出量とスガマデクス2 mg/kgによる拮抗時間の関係
TOF比：train-of-four ratio
[Yoshida F, Suzuki T, Kashiwai A, et al. Correlation between cardiac output and reversibility of rocuronium-induced moderate neuromuscular block with sugammadex. Acta Anaesthesiol Scand 2012；56：83-7のデータをもとに作成]

麻酔導入時のエフェドリンの併用投与は有用であると考えます。

　気管挿管で血圧は上がりますから、導入時の昇圧薬の投与に抵抗のある方には、薬物を使わなくとも作用発現を速められる手段をご紹介します。ロクロニウム投与直後に生理食塩液（生食）20 mlをボーラス投与するだけで、格段に作用発現が速まると報告されています。通常どおりロクロニウムを0.6 mg/kgを静脈内投与する場合と、生食20 mlで後押しする場合とで作用発現時間を比較すると、中央値で90秒 vs 60秒と、なんと30秒も速まるようです[3]。迅速導入時には、とくに有用性が高そうですね。

　ロクロニウム同様、スガマデクスの拮抗時間も循環に影響されます。スガマデクスの場合には神経筋接合部に移行するよりも、血中でロクロニウム分子を包接し、フリーのロクロニウムの血中濃度を下げ、それにより神経筋接合部から血管内にロクロニウムを拡散させることが拮抗機序の主体になりますので、いかに速く全身に循環させるかがカギとなります。よって、ロクロニウム以上に循環因子に左右されると考えられます。図2のように心拍出量が多いほど、スガマデクス投与後の神経筋機能の回復時間は速くなります[4]。

●文献
1) Shiraishi N, Aono M, Kameyama Y, et al. Effects of cardiac output on the onset of rocuronium-induced neuromuscular block in elderly patients. J Anesth 2018；32：547-50.
2) Ezri T, Szmuk P, Warters RD, et al. Changes in onset time of rocuronium in patients pretreated with ephedrine and esmolol—The role of cardiac output. Acta Anaesthesiol Scand 2003；47：1067-72.
3) Ishigaki S, Masui K, Kazama T. Saline flush after rocuronium bolus reduces onset time and prolongs duration of effect: A randomized clinical trial. Anesth Analg 2016；122：706-11.
4) Yoshida F, Suzuki T, Kashiwai A, et al. Correlation between cardiac output and reversibility of rocuronium-induced moderate neuromuscular block with sugammadex. Acta Anaesthesiol Scand 2012；56：83-7.

プライミングテクニックと、プレキュラリゼーションとは？

A ロクロニウムが上市される前は、ベクロニウムなどの非脱分極性筋弛緩薬は大量に投与したとしても、スキサメトニウムと比較すると作用発現が有意に遅いものばかりでした。ロクロニウムでも挿管量として推奨された0.6 mg/kgでは、スキサメトニウムの速さにはとうていかないませんでした。そこで安全域理論を応用して、患者覚醒下の脱窒素中に、筋弛緩作用が発現しないような少量の非脱分極性筋弛緩薬（ロクロニウムでは0.06 mg/kg）をプライミングドーズとして投与し、まず神経筋伝達の安全域を越えない程度の受容体に筋弛緩薬を作用させておきます。3分間程度、十分に作用するのを待って、静脈麻酔薬による麻酔導入とともに挿管量のロクロニウム0.54 mg/kgを投与すると、筋弛緩作用が生じるまでのタイムラグが短くなるため、0.6 mg/kgのボーラス注入と比べて作用発現が短くなる（図1）[1]という利点があり、迅速導入時などに用いられていました。つまり最初にお城周囲の堀を埋めておいて、そのあと大群でお城を攻め落とす感じです（図2）。

　この方法で注意しなければならないのは、プライミング量の設定です。ロクロニウムの場合、当初は0.06 mg/kgで検討されていましたが、この量でも待機時間中に筋弛緩効果

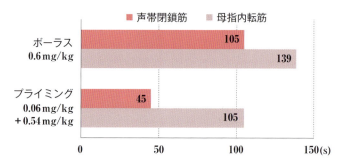

図1　プライミングテクニックによるロクロニウムの作用発現時間の短縮

[Schmidt J, Irouschek A, Muenster T, et al. A priming technique accelerates onset of neuromuscular blockade at the laryngeal adductor muscles. Can J Anesth 2005 ; 52 : 50-4のデータをもとに作成]

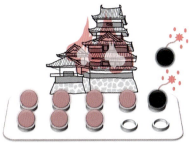

安全域を越えない少量の
ロクロニウムで外堀を埋めておく。

次に投与するロクロニウムは
安全域を素早く越え、迅速に効く。

図2　プライミングテクニックの理論

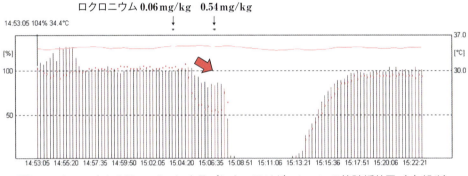

図3　ロクロニウム0.06mg/kgによるプレキュラリゼーションの筋弛緩効果（➡部分）

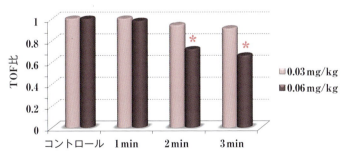

図4　プレキュラリゼーション後の母指におけるTOF（train-of-four）比の時間経過

[Fukano N, Suzuki T, Ishikawa K, et al. A randomized trial to identify optimal precurarizing dose of rocuronium to avoid precurarization-induced neuromuscular block. J Anesth 2011；25：200-4のデータをもとに作成]

が発現してしまう危険性がありました（図3、図4）[2]。フルストマックの患者で筋弛緩作用が発現すれば、上部食道括約筋や咽頭筋機能低下により、胃内容逆流と誤嚥が起こりえます。筋弛緩薬への感受性は個々の症例によってかなり異なるため、どんな量に設定しても投与後の患者観察は肝要ですが、0.03mg/kgにすることでその危険性は減少するととも

に、挿管量（0.57mg/kg）投与後の作用発現時間も有意に短縮します。

最近はスガマデクスが使えるため、短時間手術であろうとロクロニウムを大量投与できるので、この方法が用いられることは減ってきています。

プレキュラリゼーションとは、プライミング法と同様に少量（0.03mg/kg）の非脱分極性筋弛緩薬を前投与しておくことをいいます。そして、この数分後に麻酔導入とスキサメトニウム1.5mg/kgを投与するのですが、プレキュラリゼーションによってスキサメトニウムの効果が発現しにくくなりますので、通常の気管挿管時の1.5倍量である1.5mg/kgを要します。スキサメトニウム単独で投与した場合には全身に筋線維束攣縮が生じますが、これにより腹圧が上昇し、特にフルストマックの患者では胃内容物が逆流、誤嚥する危険性があります。そこで筋線維束攣縮をできるだけ抑制しながら、スキサメトニウムの速い作用発現を活かし、迅速気管挿管を遂行するというのがプレキュラリゼーションのコンセプトです。実際、ロクロニウム0.03mg/kgのプレキュラリゼーションにより、スキサメトニウムの筋攣縮はほとんどの患者で完全に抑制でき、筋攣縮が認められたとしても手指に軽い動きを認めるのみです。本法は、スキサメトニウムの副作用のひとつである術後筋肉痛の予防にも有用でした。

●文献
1) Schmidt J, Irouschek A, Muenster T, et al. A priming technique accelerates onset of neuromuscular blockade at the laryngeal adductor muscles. Can J Anesth 2005 ; 52 : 50-4.
2) Fukano N, Suzuki T, Ishikawa K, et al. A randomized trial to identify optimal precurarizing dose of rocuronium to avoid precurarization-induced neuromuscular block. J Anesth 2011 ; 25 : 200-4.

タイミングプリンシプルとは？

筋弛緩薬が効果を発揮し出すまで、作用発現時間の速いスキサメトニウムやロクロニウムでも、静脈内投与から30秒ほどのタイムラグを要します。ベクロニウムではさらに長く、投与から約60秒経過しないと筋力は低下し始めません。通常、静脈麻酔薬による麻酔導入後、患者が就眠したあとに筋弛緩薬を投与しますが、この投与順番を逆転させる方法がタイミングプリンシプルです。

フルストマック患者の麻酔導入では、胃内容物の咽頭内逆流と気管内流入に十分に注意しなければなりません。胃内容の逆流防止には下部食道括約筋圧が重要であり、この圧と胃内圧との差がバリアプレッシャーとなります。意識下では有効に機能している下部食道括約筋ですが、麻酔導入を開始した時点から、その平滑筋収縮は麻酔薬により抑制され、下部食道括約筋圧は下がり始めます。つまり、プロポフォール投与からロクロニウム筋弛緩が最大遮断となるまでの100秒以上の間は、誤嚥のリスクが非常に高いのです。筋弛緩薬と静脈麻酔薬の投与順序を逆にすることで、この危険な時間を可能なかぎり短縮することを目的とした方法がタイミングプリンシプルです（図）。

具体的な方法は下記❶〜❻に示していますが、ロクロニウムは血管痛が非常に強いので、意識下で投与する場合にはリドカインによる前処置が必須です。単に静脈内投与だけでも効果はありますが、静脈路のある上肢を一時的に駆血したうえで、リドカインを静脈内投与すると効果はさらに上がります。もし中心静脈路が確保されているのであれば、痛みは

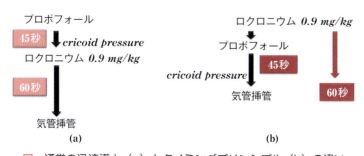

図　通常の迅速導入（a）とタイミングプリンシプル（b）の違い

生じませんので、リドカインは必要ありません。筋弛緩効果発現も末梢静脈に投与する場合と比較して格段に速いので、中心静脈内投与は迅速気管挿管には有用です。

1. 脱窒素
2. リドカイン1mg/kg　IV（患者の状態に応じてフェンタニルやレミフェンタニルも併用）
3. ロクロニウム0.9mg/kg以上　IV
4. 脱力感などの症状が生じた際、あるいはロクロニウム投与から30秒後と時間を決めて、プロポフォール適量　IV
5. 輪状軟骨圧迫
6. ロクロニウム投与から60秒後、迅速気管挿管

Q15 麻酔導入時、マスク換気ができない場合に筋弛緩薬を投与するの？

A　麻酔導入時、ほとんどの麻酔科医は筋弛緩薬投与前に必ずマスク換気ができることを確認するよう教育されてきたはずです。その理由は、換気不能な患者にいったん筋弛緩薬を投与してしまうと、すぐに患者を覚醒させ、自発呼吸を回復させる手段が取れなくなるためです。しかし、このマスク換気の確認が本当に意義のある、実際の臨床に即した方法なのでしょうか？　声門上器具や有用な気道確保のデバイスが増加していることも含め、いまだ議論がなされているところでしょう。

　マスク換気が困難な理由として、❶マスクの密着性の不完全さ、❷上気道スペースの開存困難、❸麻酔薬や筋弛緩薬による上気道筋の緊張低下、❹喉頭痙攣など導入直後の上気道反射の亢進や胸郭筋硬直が挙げられます。経験の少ない麻酔科医が不安に思うのは、❸に起因する❷の要因が主になると思われます。これを不安に思うばかりに浅麻酔となれば、さらに換気は悪化することでしょう。実際、麻酔導入時のマスク換気困難はほとんどがオピオイドによる声門閉鎖、つまり❹の要因により生じ、筋弛緩薬はこれを改善させます。実際のところ筋弛緩薬投与後のマスク換気量は増加する、あるいは変わらないという報告はあっても、悪化するという報告はないのです。本邦からもスキサメトニウムによる上気道筋攣縮後に換気量は増加し、ロクロニウムは換気量に影響を及ぼさなかったとの報告[1]があります。

　では筋弛緩薬投与後も、マスク換気が不能であった場合は、どうすればいいでしょうか？　マスク換気の確認を必要ないとするグループは、換気困難はむしろエアウェイレスキューが迅速に開始される点で有利であり、その後の気管挿管や声門上器具の挿入にも筋弛緩薬の投与は必要との見解です。もちろんその場合は、短時間作用性のスキサメトニウムを用いるか、あるいはスガマデクスを備えた施設でのロクロニウムの投与が勧められます。

　依然として、筋弛緩薬投与前にマスク換気可能か否かを確認する必要性を完全に否定するわけではありませんが、表に示すように換気不能時に筋弛緩薬投与という重大な決断を下す必要性も認識すべきでしょう。

表　マスク換気を改善させる手段

- 酸素定常流量を増加する。
- 経口または経鼻エアウェイを挿入する。
- 逆トレンデレンブルグ位あるいは半座位にする。
- 両手でtriple airway maneuvers（頭部後屈、下顎前方移動、開口）を行う。
- 両手法で麻酔器を用いた人工呼吸（従圧式換気＋高めのPEEP）を行う。
- 筋弛緩薬が投与されていなければ投与する。
- 筋弛緩薬が投与されていれば回復させる。

［日本麻酔科学会気道管理アルゴリズム作成委員会．日本麻酔科学会気道管理ガイドライン2014．神戸：公益社団法人日本麻酔科学会；2015．p.10より抜粋］

● 文献

1) Ikeda A, Isono S, Sato Y, et al. Effects of muscle relaxants on mask ventilation in anesthetized persons with normal upper airway anatomy. Anesthesiology 2012；117：487-93.

I 薬理編

気管挿管スコアとは？

気管挿管の難易に関わる呼吸筋群、つまり咬筋、喉頭筋、横隔膜の弛緩度を評価するスコアリングシステム（表）です。スコアリング法が異なると、論文間で比較しにくいため、筋弛緩研究ガイドライン[1]では評価法の統一を求めています。気管挿管に関する筋弛緩薬の研究で、論文にする予定であれば、ぜひ表の推奨スコアを用いるべきでしょう。喉頭鏡の挿入のしやすさは開口の大きさ、容易さに関連しますので、咬筋の弛緩度を評価しています。同様に、喉頭展開時の声門の開大度、声帯の動きは喉頭筋を、気管挿管時の咳き込みや腹筋収縮などの患者体動は横隔膜の弛緩状態を評価しています。すべての因子がexcellentと評価された場合の挿管スコアは"excellent"、ex-

表　気管挿管スコア

	Excellent（優秀）	Good（良好）	Poor（不良）
喉頭鏡挿入	容易	可能	困難
声帯の位置	外転位	動いている	閉鎖
挿管時の反応	なし	軽度	激しい

図　気管挿管スコアと術後嗄声の頻度（%）
[Mencke T, Echternach M, Kleinschmidt S, et al. Laryngeal morbidity and quality of tracheal intubation：A randomized controlled trial. Anesthesiology 2003；98：1049-56のデータをもとに作成]

cellentあるいはgoodの評価が混在した場合は"good"、ひとつでもpoorと評価された因子があれば"poor"とスコアリングされ、筋弛緩薬の種類や投与量間の挿管状態の比較などに用いられます。

　この気管挿管スコアを用いた研究[2]を1つ紹介します。気管挿管した際の声帯の位置と術後嗄声の頻度を比較した研究です（図）。声門が閉鎖していたり、声帯が動いている際に挿管した場合には、術後嗄声の頻度が増加するという結果です。臨床麻酔、特に予定手術では挿管スコアは常にexcellentでなければいけないようです。

● 文献
1) Fuchs-Buder T, Claudius C, Skovgaard LT, et al. Good clinical research practice in pharmacodynamic studies of neuromuscular blocking agents II: The Stockholm revision. Acta Anaesthesiol Scand 2007; 51: 789-808.
2) Mencke T, Echternach M, Kleinschmidt S, et al. Laryngeal morbidity and quality of tracheal intubation: A randomized controlled trial. Anesthesiology 2003; 98: 1049-56.

Q17

お腹が硬いと言われないためには？

　開腹手術でお腹が硬いと言えるのは外科医の特権かもしれませんが、それが事実だとしても、詭弁であったとしても、麻酔科医は真実を知る手段を持っておかなければなりません。レミフェンタニルの持続的投与で、患者は動かないので筋弛緩は必要ないと言われる方もいらっしゃいますが、麻薬は腹筋にも筋硬直をもたらします。釈迦に説法ですが、不動と筋弛緩は同じではありません。硬膜外麻酔により腹筋弛緩を得るという方もいらっしゃるでしょう。運動神経遮断には、高濃度の局所麻酔薬を比較的高用量必要としますので、低血圧への対処が余儀なくされるなど、いろいろなリスクを合併する高齢者などには、麻薬、局所麻酔薬と筋弛緩薬のそれぞれをバランス良く投与する必要もあるでしょう。

　開腹手術の場合には、TOF（train-of-four）カウントが2〜3ぐらいで筋弛緩薬を追加投与していれば大丈夫と教科書に書いてありますが、これは1960年代に発表された古いある論文[1]結果がもとになっています。d-ツボクラリンなどを投与して、母指内転筋あるいは足底筋において筋電図で測定した単収縮反応が目標とする筋弛緩状態になった際に、外科医に腹筋の弛緩程度を"poor""adequate""excellent"の3段階で評価してもらうという方法で行われた結果が図1になります。この結果からは、浅い筋弛緩では外科医の望む腹筋弛緩は得られず、単収縮高、あるいはTOF反応のT1高と置き換えてみて、それがコントロールの25％以下に抑えられて初めて満足が得られる弛緩度ということになります。筋弛緩からの回復時、TOF刺激に対しては減衰反応が認められますので、まずT1が再出現以後、おおよそT1が10〜15％に回復してT2が見られるようになり、続いて15〜20％でT3、20〜25％に回復してT4が再出現します。つまり、TOFカウントが2〜3（図2）に回復したところで筋弛緩薬を追加投与していけば、適度な腹筋の弛緩は維持できるということになります。

　古い研究なのでしようがないのですが、浅い筋弛緩状態から段階的に抑制率を強めているでしょうから、筋弛緩の程度が外科医にマスクされていなかったはずであり、腹筋弛緩の主観的評価に影響があったものと思われます。かつポストテタニックカウントのような

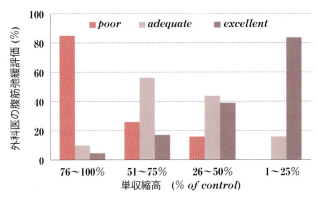

図1 外科医による腹筋弛緩評価と実際の筋弛緩レベルの関係
[De Jong RH. Controlled relaxation. I. Quantitation of electromyogram with abdominal relaxation. JAMA 1966；197：393-5のデータをもとに作成]

図2 TOFウォッチ®によるTOFカウント2の表示

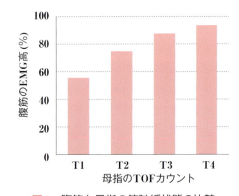

図3 腹筋と母指の筋弛緩状態の比較
[Kirov K, Motamed C, Ndoko SK, et al. TOF count at corrugator supercilii reflects abdominal muscles relaxation better than at adductor pollicis. Br J Anaesth 2007；98：611-4のデータをもとに作成]

深部遮断を評価できる刺激法が開発されていなかった時代ですので、深い筋弛緩状態の評価がなされていません。またd-ツボクラリンに比べ、ロクロニウムは減衰反応が小さいので、T1高とTOFカウントの関係が異なるはずです。やはり腹筋から得られる客観的指標を用いて、腹筋の十分な弛緩とその際に母指のような末梢筋ではどの程度の筋弛緩になっているのかを比較する必要があります。

　肋間神経刺激時の腹筋電位を筋電図で測定し、筋弛緩からの回復時の母指におけるTOFカウントと比較した場合、図3のように母指でT1再出現時には、腹筋ではすでに50％以上回復してしまっています[2]。つまりTOFカウントを当てにしていては、適度な腹筋弛緩は維持できないのです。腹筋での非脱分極性筋弛緩薬の効きめは横隔膜と母指の筋弛緩の中間になりますから、母指で腹筋の筋弛緩を評価するには、やはりポストテタニックカウントを利用するしかなさそうです。

腹膜炎を起こしている患者では、非脱分極性筋弛緩薬は効きにくくなっています。腹膜炎をはじめとする全身性炎症の患者では、急性相反応物質であるα_1酸性糖タンパクが増加し、筋弛緩薬分子を抱合するため、受容体に結合できるフリーの分子が減少するためです[3]。イレウスの場合には腸管容量が増加しているわけですから、筋弛緩を最大限に効かせても、腹膜閉鎖には外科医の根気と理解が必要です。緊急試験開腹術のときこそ、過不足ない至適な筋弛緩状態を提供するために、筋弛緩モニタリングを駆使しましょう。

●文献
1) De Jong RH. Controlled relaxation. I. Quantitation of electromyogram with abdominal relaxation. JAMA 1966；197：393-5.
2) Kirov K, Motamed C, Ndoko SK, et al. TOF count at corrugator supercilii reflects abdominal muscles relaxation better than at adductor pollicis. Br J Anaesth 2007；98：611-4.
3) Fink H, Luppa P, Mayer B, et al. Systemic inflammation leads to resistance to atracurium without increasing membrane expression of acetylcholine receptors. Anesthesiology 2003；98：82-8.

腹腔鏡手術では、深い遮断が必要なの？

内視鏡手術時には、特にワーキングスペースの確保が重要になりますが、手術環境と筋弛緩深度の関連性について最近よく報告されています。非筋弛緩状態に比較し、筋弛緩状態で手術環境が向上するのはもちろんですが、それでは腹腔鏡手術ではどの程度の筋弛緩状態が必要なのでしょうか？　その結果を総括すると、現状では腹腔鏡手術には深い筋弛緩が必要だとする結論です。

まずは筋弛緩状態の呼び方の確認ですが、深部遮断は英語では intense block と deep block に分類され、"intense" はポストテタニックカウント（post-tetanic count：PTC）が0の状態、"deep" は PTC が認められる状態と区別されます（図1）。TOF（train-of-four）カウントが再出現して、4発くらい出現までの間を中等度筋弛緩（moderate block）、それよりさらに回復した状態を浅い筋弛緩（shallow block）と呼びます。

腹腔鏡下前立腺摘出術あるいは腎臓摘出術の際、TOFカウントが1～2の中等度筋弛緩とPTC 1～2の深部筋弛緩維持下で、外科医が手術の容易性を評価した報告[1]では、図2のように深部遮断で手術環境が向上するとの結果でした。術野確保に要する気腹圧は、深部遮断で少なくて済む（図3）[2]ため、気腹に起因する横隔膜障害、横隔神経刺激による関連痛の一種と考えられる術後肩痛も、深部遮断にして低気腹圧を維持したほうで頻度が少なくなる（図4）[3] という利点があります。手術操作が容易になれば、出血量が減少する[2]のもよく分かります（図5）。機序は不明ですが、深部筋弛緩維持により大腸手術後の腸機能回復が速まるようです[2]。

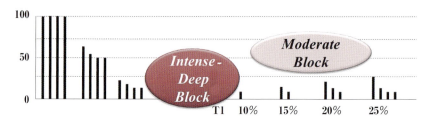

図1　筋弛緩程度の呼称

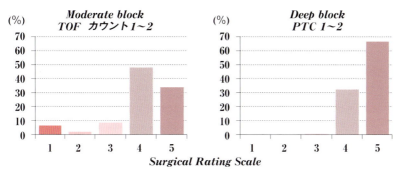

図2　中等度筋弛緩と深部筋弛緩での腹腔鏡手術の容易性比較

Surgical Rating Scale＝5：optimal condition, 4：good condition, 3：acceptable condition, 2：poor condition, 1：extremely poor condition
[Martini CH, Boon M, Bevers RF, et al. Evaluation of surgical conditions during laparoscopic surgery in patients with moderate vs deep neuromuscular block. Br J Anaesth 2013；112：498-505のデータをもとに作成]

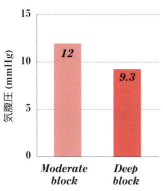

図3　腹腔鏡下大腸手術時の必要最少気腹圧（mmHg）

[Kim MH, Lee KY, Lee KY, et al. Maintaining optimal surgical conditions with low insufflation pressures is possible with deep neuromuscular blockade during laparoscopic colorectal surgery：A prospective, randomized, double-blind, parallel-group clinical trial. Medicine (Baltimore) 2016；95：e2920のデータをもとに作成]

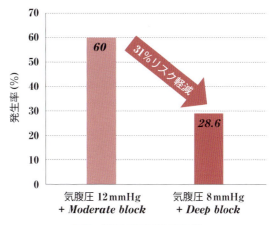

図4　術後肩痛発生率の差

[Madsen MV, Istre O, Staehr-Rye AK, et al. Postoperative shoulder pain after laparoscopic hysterectomy with deep neuromuscular blockade and low-pressure pneumoperitoneum：A randomised controlled trial. Eur J Anaesthesiol 2015；33：341-7のデータをもとに作成]

　腹腔鏡手術や開腹手術以外にも深部遮断が有効である手術はあるのでしょうか？　喉頭のマイクロサージェリーの術野状態に筋弛緩程度が影響することが報告されています[4]。PTC 1～2とTOFカウント1～2で比較すると、声帯の外転や不動はどちらでも得られていましたが、直達喉頭鏡の挿入、声帯を喉頭鏡視野に入れるための容易性はPTC 1～2で優れていました。臨床的に受け入れられる術野状態と評価されたのは、PTC 1～2では94％

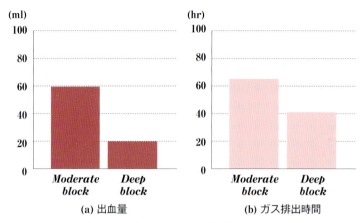

図5 腹腔鏡下大腸手術時の出血量と腸管機能回復―維持筋弛緩程度による違い―

[Kim MH, Lee KY, Lee KY, et al. Maintaining optimal surgical conditions with low insufflation pressures is possible with deep neuromuscular blockade during laparoscopic colorectal surgery: A prospective, randomized, double-blind, parallel-group clinical trial. Medicine (Baltimore) 2016; 95: e2920のデータをもとに作成]

であったのに対し、TOFカウント1～2では64％にとどまりました。

　外科医の評価といった主観的評価のみでなく、麻酔科医皆が腹腔鏡手術には深部筋弛緩が必要であると納得できるような客観的指標が報告されることを今後期待していますが、筋弛緩の程度によって手術に伴う患者安全が変化するとすれば、麻酔科医は日々の臨床にこのデータを真摯に受け入れる必要があるでしょう。

● 文献

1) Martini CH, Boon M, Bevers RF, et al. Evaluation of surgical conditions during laparoscopic surgery in patients with moderate vs deep neuromuscular block. Br J Anaesth 2013; 112: 498-505.
2) Kim MH, Lee KY, Lee KY, et al. Maintaining optimal surgical conditions with low insufflation pressures is possible with deep neuromuscular blockade during laparoscopic colorectal surgery: A prospective, randomized, double-blind, parallel-group clinical trial. Medicine (Baltimore) 2016; 95: e2920.
3) Madsen MV, Istre O, Staehr-Rye AK, et al. Postoperative shoulder pain after laparoscopic hysterectomy with deep neuromuscular blockade and low-pressure pneumoperitoneum: A randomised controlled trial. Eur J Anaesthesiol 2015; 33: 341-7.
4) Kim HJ, Lee K, Park WK, et al. Deep neuromuscular block improves the surgical conditions for laryngeal microsurgery. Br J Anaesth 2015; 115: 867-72.

筋弛緩薬が効きにくい人、いるよね？

A「この人、筋弛緩薬が早く切れるみたいで、自発呼吸がもう回復したのですが……」と言われて、麻酔記録上で筋弛緩薬の投与時間を確認すると、30分前に麻酔導入され、ロクロニウム1mg/kgが投与されていました。患者は40代の中肉中背の男性。私の答えは「ふーむ……普通かな？」でした。高齢者であれば切れるのが早いと言えそうですが……。ロクロニウムの投与量とポストテタニックカウントの再出現時間の関係を見てみますと、0.6mg/kg投与後には10分、1mg/kg投与後には20〜30分でポストテタニックカウントが観察できます。つまり、このくらいの時間で自発呼吸が出てもおかしくはないのです。

上記のような勘違いではなく、確かに非脱分極性筋弛緩薬に抵抗性を示す症例は存在します。それはどのようなケースでしょうか？　総括していえば、

❶ 筋型ニコチン性アセチルコリン受容体が通常よりも増加しているケース
❷ 筋弛緩薬結合タンパクが増加しているケース
❸ 筋弛緩薬の排泄、クリアランスが増大しているケース

を想定すればいいと思います。

❶の受容体が増加している状態とは、神経筋接合部が破壊され、受容体のアップレギュレーションが生じている病態です。つまり脳梗塞や脳出血、脊髄損傷後の麻痺や広範な末梢神経損傷による麻痺、広範（体表面積の30％以上）な熱傷後、不動化が当たります。図1には、熱傷患者と対照患者におけるロクロニウムの作用比較を示していますが、熱傷患者では作用発現時間は遅くなり、作用持続時間が短縮します[1]。受容体のアップレギュレーションが生じているケースでは、同様の作用変化が認められます。また、受容体数増加により非脱分極性筋弛緩薬が効きにくいケースでは、スキサメトニウムの投与により高カリウム血症を招きますので投与禁忌となります。おおよそ麻痺や熱傷の1週間後には、非脱分極性筋弛緩薬への抵抗性が明らかになります。麻痺の症例では麻痺が持続するかぎり、その抵抗性も持続します。熱傷の場合は組織再生に伴って抵抗性は消失していきますが、一般に寛解から1年間は非脱分極性筋弛緩薬への抵抗性と脱分極性筋弛緩薬による高

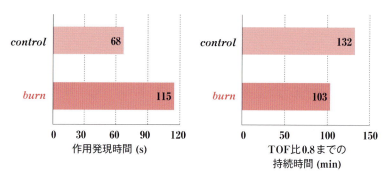

図1　熱傷患者でのロクロニウム0.9mg/kgの作用変化
[Han TH, Kim H, Bae JY, et al. Neuromuscular pharmacodynamics of rocuronium in patients with major burns. Anesth Analg 2004；99：386-92のデータをもとに作成]

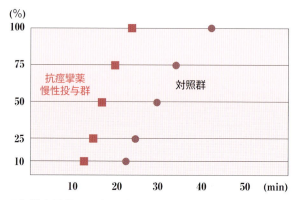

図2　長期抗痙攣薬服用小児でのロクロニウム0.6mg/kgの作用変化
[Soriano SG, Kaus SJ, Sullivan LJ, et al. Onset and duration of action of rocuronium in children receiving chronic anticonvulsant therapy. Paediatr Anaesth 2000；10：133-6のデータをもとに作成]

カリウム血症に留意する必要があるでしょう。

　筋弛緩薬が静脈内投与されると、一部タンパク結合を受けます。通常、ロクロニウムの場合は約25％がタンパク結合されます。フリーの筋弛緩薬しかアセチルコリン受容体に結合できませんので、❷の結合タンパクが増えているような状況であれば、筋弛緩効果は減弱すると考えられます。腹膜炎や急性呼吸促迫症候群（ARDS）などの全身性炎症では急性相反応物質であるα_1酸性糖タンパクが増加し、非脱分極性筋弛緩薬を抱合しますので作用が減弱します。熱傷後も受容体アップレギュレーションとともに、このタンパク増加も抵抗性に加担します。

　❸の筋弛緩薬の排泄増加はカルバマゼピンやフェニトインなどの抗痙攣薬の慢性投与で認められる現象です。肝シトクロムP450の酵素誘導と肝重量増加により、筋弛緩薬のクリアランスが増大するため、作用持続時間が短縮します（図2）[2]。ちなみに抗痙攣薬の急性静脈内投与の場合には、局麻作用により筋弛緩効果が増強されますので、混乱しないよ

うにしてください。

● 文献
1) Han TH, Kim H, Bae JY, et al. Neuromuscular pharmacodynamics of rocuronium in patients with major burns. Anesth Analg 2004 ; 99 : 386-92.
2) Soriano SG, Kaus SJ, Sullivan LJ, et al. Onset and duration of action of rocuronium in children receiving chronic anticonvulsant therapy. Paediatr Anaesth 2000 ; 10 : 133-6.

筋弛緩薬の効果に性差はあるの？人種差はどう？

Ⓐ いろいろな薬で性差は確認されていますよね。例えば、プロポフォールは男性で効きやすいとか、オピオイドは女性で効果が出やすいとか。それでは筋弛緩薬は男性と女性、どちらが効きやすいのでしょうか？ 筋弛緩薬が作用する部位は神経筋接合部ですから、筋線維量つまり筋肉量の差を考えれば答えは簡単です。男性に比較し、女性は効きやすいといえます。女性は体重あたりの筋肉の占める率が少ないわけですから、実測体重あたりで筋弛緩薬を投与した場合、男性に比べ、女性の筋肉にとっては過量投与となるわけです。加えて体内水分量を比較すると、男性＞女性ですから、筋弛緩薬の分布容積は女性で少なく、そのぶん血漿中濃度が高くなるという理屈です。肝臓の薬物代謝速度も、ある種の薬物で性差が確認されるようですので、ベクロニウムなどの肝臓で代謝される筋弛緩薬は影響を受ける可能性もあります。

実際の患者でロクロニウムの有効投与量を比較すると、図1のように女性は男性よりも

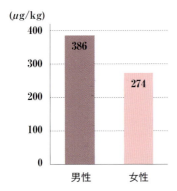

図1　ロクロニウムのED$_{95}$（95％有効量）における性差
[Xue FS, Tong SY, Liao X, et al. Dose-response and time-course of effect of rocuronium in male and female anesthetized patients. Anesth Analg 1997 ; 85 : 667-71のデータをもとに作成]

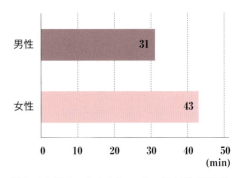

図2　ロクロニウム0.6mg/kg投与後の25％回復までの持続時間の比較
[Adamus M, Koutna J, Gabrhelik T, et al. Influence of gender on the onset and duration of rocuronium-induced neuromuscular block. Biomed Pap Med Fac Univ Palacky Olomouc Czech Repub 2007 ; 151 : 301-5のデータをもとに作成]

Ⅰ 薬理編

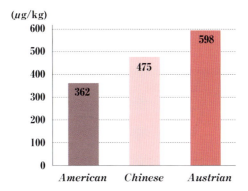

図3 ロクロニウムのED$_{95}$（95％有効量）における人種差
[Dahaba AA, Perelman SI, Moskowitz DM, et al. Geographic regional differences in rocuronium bromide dose-response relation and time course of action. An overlooked factor in determining recommended dosage. Anesthesiology 2006；104：950-3のデータをもとに作成]

少ない値になります[1]。やはり効きやすいのです。持続時間はどうでしょう？　もちろん、図2のように女性で延長します[2]。

　筋弛緩薬の効果に性差があるわけですから、研究対象を男性、女性のどちらかに絞るか、群間差がないようにしないと、筋弛緩研究は成り立ちませんのでご注意を。

　古くから人種差も確認されており、生活習慣、環境や食事などの関与が示唆されています。ロクロニウムが効きやすい順に並べると、図3に示したように米国＞アジア＞欧州系人種となるようです[3]。結構な差がありますよね。もしかすると、日本においても北と南では、差があるかもしれませんね。どなたか、調べてみてはいかがですか？

●文献
1) Xue FS, Tong SY, Liao X, et al. Dose-response and time-course of effect of rocuronium in male and female anesthetized patients. Anesth Analg 1997；85：667-71.
2) Adamus M, Koutna J, Gabrhelik T, et al. Influence of gender on the onset and duration of rocuronium-induced neuromuscular block. Biomed Pap Med Fac Univ Palacky Olomouc Czech Repub 2007；151：301-5.
3) Dahaba AA, Perelman SI, Moskowitz DM, et al. Geographic regional differences in rocuronium bromide dose-response relation and time course of action. An overlooked factor in determining recommended dosage. Anesthesiology 2006；104：950-3.

高齢者では、筋弛緩薬が効きやすくなるの？

A 筋弛緩薬が効きやすいというとき、どのようなことをイメージするでしょう？　少量でも早く、強く効いてくれる、あるいは同じ量でも長く効いてくれる、この2つを頭に思い浮かべるのではないでしょうか？　確かに高齢者では、筋弛緩薬が効きやすいという表現は誤りではありませんが、この2つのイメージとも高齢者での筋弛緩薬の作用に当てはまるのでしょうか？

筋弛緩薬の作用持続時間は成人に比し、高齢者で有意に延長することから、この点では効きやすいといえます。例えば、ロクロニウムの挿管量である1mg/kg投与後、母指内転筋でポストテタニックカウントが再出現するまでの時間は、成人の約30分に比し、高齢者では約50分と有意に長くなります[1]。これは加齢に伴い肝重量や肝血流量が減少するため、70％以上が肝より排泄されるロクロニウムは大きく影響を受け、クリアランスが有意に減少することなどによります（図1）。

筋弛緩効果の作用発現に関してはどうでしょう？　加齢により作用発現時間は延長します。図2にはロクロニウム1mg/kgを静脈内ボーラス投与した際の作用発現時間を示していますが、母指内転筋のみでなく、呼吸筋の筋弛緩推移と一致する皺眉筋においても、高齢者では有意に作用発現が遅くなります[2]。これは加齢に伴う心拍出量の減少によると考えてよいでしょう。つまり作用発現に関しては、高齢者では効きにくいということになります。

では、力価に関してはどうでしょう？　高齢者でも気管挿管時の投与量をあえて減らす

- 体重は同じでも……
- 筋肉量 ↓　　脂肪量 ↑
  実体重換算のロクロニウムは成人に比べ過量
- 分布容積 ↓
  ロクロニウムの血中濃度 ↑
- 肝血流 ↓　　肝重量 ↓
  ロクロニウムのクリアランス ↓

図1　高齢者でロクロニウムの作用持続時間が延長する理由

I 薬理編

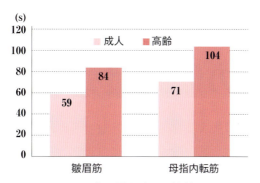

図2 作用発現時間の比較

[Yamamoto S, Yamamoto Y, Kitajima O, et al. Reversal of neuromuscular block with sugammadex: A comparison of the corrugator supercilii and adductor pollicis muscles in a randomized dose-response study. Acta Anaesthesiol Scand 2015; 59: 892-901のデータをもとに作成]

方は少ないのではないでしょうか？　これは非脱分極性筋弛緩薬の力価は高齢者と成人で同等であるからです。ここが、ちょっと理解しにくい部分かもしれません。高齢者に特徴的な筋組織変化はサルコペニア（加齢性骨格筋減少症）で、骨格筋が加齢に伴い減少し、そのぶん、脂肪比率が増大します。骨格筋減少は直接、筋仕事力の減少につながり、運動性が減退します。この現象からは、高齢者では筋弛緩薬は効きやすくなるというイメージを持ってしまいます。しかし加齢による骨格筋減少は、脊髄から発する運動神経変性に起因する筋萎縮で、変性と再生が繰り返され、再生時には終板構造が変化し、神経接合部の膨大化に伴うアセチルコリン受容体の増数や、一筋線維に侵入する神経終末数の増数に伴うアセチルコリン放出量の増大など、非脱分極性筋弛緩薬の効果に抵抗する変化が生じます。つまり骨格筋減少と、終板構造および機能変化、受容体数変化は、非脱分極性筋弛緩薬の効き方に相反する作用をとり、この相反性が均衡することで、一般的には高齢者でも非脱分極性筋弛緩薬の力価は成人と同等になると考えられます。

　スキサメトニウムに関しては、高齢者では血漿コリンエステラーゼ活性が減少していますので、若干作用持続時間が長くなってもおかしくありません。

　スガマデクスの回復に加齢の影響はあるでしょうか？　高齢者でも、筋弛緩程度に合わせた至適量が投与されれば完全回復は得られますが、高齢者では相対的に心拍出量が少なくなりますので、回復までの時間は若干延長します（成人1.3分 vs 高齢者3.6分）[3]。

●文献

1) Furuya T, Suzuki T, Kashiwai A, et al. The effects of age on maintenance of intense neuromuscular block with rocuronium. Acta Anaesthesiol Scand 2012; 56: 236-9.
2) Yamamoto S, Yamamoto Y, Kitajima O, et al. Reversal of neuromuscular block with sugammadex: A comparison of the corrugator supercilii and adductor pollicis muscles in a randomized dose-response study. Acta Anaesthesiol Scand 2015; 59: 892-901.
3) Suzuki T, Kitajima O, Ueda K, et al. Reversibility of rocuronium-induced profound neuromuscular block with sugammadex in younger and older patients. Br J Anaesth 2011; 106: 823-6.

小児での筋弛緩薬の作用が、分かりにくいのは？

小児における筋弛緩薬の効果を説明する場合、神経筋刺激伝達や神経筋接合部の成熟度、筋肉量、細胞外液量、心拍出量など、成長ごとに多数の因子を考慮する必要があるために覚えにくくなっています。なるべく分かりやすいように解説できたらいいのですが……。

生後2カ月以内の児では筋弛緩状態になくとも、四連刺激やテタヌス刺激により減衰反応が認められます。これは神経終末内のアセチルコリン貯蔵量が十分でなく、即時放出型のシナプス小胞の補充が十分になされないことに起因します。つまり脱分極機構が未熟な新生児や乳児は、非脱分極性筋弛緩薬が効きやすい状態にあります。よって図1に示すように、2歳以下の児ではほかの年齢層に比較して、ロクロニウムのED$_{95}$（95％有効量）は小さくなります[1]。逆に考えれば、この時期には脱分極性筋弛緩薬は効きにくいことになりますよね！ つまり、スキサメトニウムのED$_{95}$は大きくなります（図2）[2]。

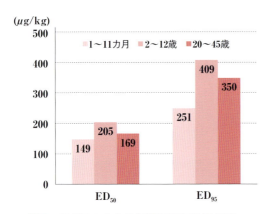

図1 ロクロニウムの年齢層別有効投与量

[Taivainen T, Meretoja OA, Erkola O, et al. Rocuronium in infants, children and adults during balanced anesthesia. Paediatr Anaesth 1996；6：271-5のデータをもとに作成]

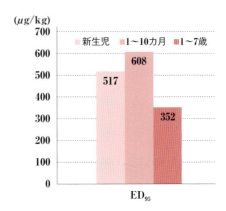

図2 スキサメトニウムの年齢層別有効投与量

[Meakin G, McKiernan EP, Morris P, et al. Dose-response curves for suxamethonium in neonates, infants and children. Br J Anaesth 1989；62：655-8のデータをもとに作成]

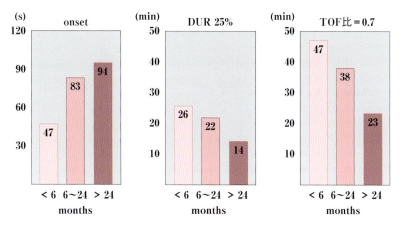

図3　ロクロニウム 0.3 mg/kg 投与後の作用推移
DUR 25%：コントロールの25%まで回復する時間
[Driessen JJ, Robertson EN, Van Egmond J, et al. The time-course of action and recovery of rocuronium 0.3 mg × kg^{-1} in infants and children during halothane anaesthesia measured with acceleromyography. Paediatr Anaesth 2000；10：493-7 のデータをもとに作成]

　余裕のある方は次のことも覚えておきましょう。この時期、ロクロニウムの効きやすさに反し、スキサメトニウムの効きにくさを助長するのが細胞外液量です。新生児や乳児はほかの年齢層に比べ体重に占める細胞外液量が多いため、筋弛緩薬の血中濃度は希釈されることになります。非脱分極性筋弛緩薬の場合は、この相殺機序によりED$_{95}$は乳児以下と成人との間での差が少し縮まることになります。一方、スキサメトニウムは血中濃度が薄まるぶん、より効きにくくなるのです。この時期は心拍出量も多いので、作用発現が速いのも特徴です。クリアランスが小さいぶん、作用時間は長くなります（図3）[3]。

　次に2歳以後、シナプス成熟が完成して、活動性の上がる児について考えてみましょう。学童期児のような成長期には筋組織は有意に増加し、ほかの年齢層に比較して体重に占める筋組織の割合が最大になります。ひいては、筋型ニコチン性アセチルコリン受容体総数の増加につながりますので、体重換算でロクロニウムを投与する場合、ほかの年齢層と同じ筋弛緩状態を得るのに、成長期児でより多くの量を要するのは理解しやすいと思います（図1）。脱分極機構は成熟しますから、スキサメトニウムの有効投与量は成人と同じようになってきます（図2）。

　非脱分極性筋弛緩薬が効きやすい乳児において、スガマデクスの拮抗効果はどうでしょうか？　ポストテタニックカウント刺激に初めて反応が出始める深部遮断の状態で、スガマデクス1、2あるいは4 mg／kgを投与すると、TOF（train-of-four）比0.9への回復は、2あるいは4 mg／kg投与時には迅速ですが、1 mg／kgでは有意に遅延し、至適回復に至らないケースが含まれます（図4）[4]。乳児においても成人と同様に、筋弛緩程度に合った推奨量のスガマデクス投与により、迅速に筋弛緩からの回復が得られますし、不十分な投与量の場合には残存筋弛緩や再クラーレ化が起こりますので、筋弛緩モニタリングで評価

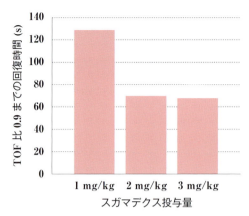

図4 ロクロニウム深部遮断時の乳児におけるスガマデクスの効果
[Matsui M, Konishi J, Suzuki T, et al. Reversibility of rocuronium-induced deep neuromuscular block with sugammadex in infants and children—A randomized study. Biol Pharm Bull 2019；42：1637-40のデータをもとに作成]

するべきです。

● 文献
1) Taivainen T, Meretoja OA, Erkola O, et al. Rocuronium in infants, children and adults during balanced anesthesia. Paediatr Anaesth 1996；6：271-5.
2) Meakin G, McKiernan EP, Morris P, et al. Dose-response curves for suxamethonium in neonates, infants and children. Br J Anaesth 1989；62：655-8.
3) Driessen JJ, Robertson EN, Van Egmond J, et al. The time-course of action and recovery of rocuronium 0.3 mg × kg^{-1} in infants and children during halothane anaesthesia measured with acceleromyography. Paediatr Anaesth 2000；10：493-7.
4) Matsui M, Konishi J, Suzuki T, et al. Reversibility of rocuronium-induced deep neuromuscular block with sugammadex in infants and children—A randomized study. Biol Pharm Bull 2019；42：1637-40.

Q23 肥満患者での投与量は実測体重、それとも理想体重換算？

肥満患者では、体重あたりの脂肪量が増加しています。脂肪にあまり溶け込まない筋弛緩薬を、脂肪を含めた実測体重換算で投与すれば、筋肉にとっては過量投与になってしまいますので、当然のこと効果は強く現れ、作用持続が長くなります。例えば、体型指数（body mass index：BMI）＞40kg/m²の肥満患者に、ロクロニウム0.6mg/kgを実体重換算量あるいは理想体重換算量を投与した場合を比較すると、図1に示したように実体重換算では作用持続時間が大いに延長してしまいます[1]。また、理想体重換算で投与すれば、正常体重の患者と同等の作用時間になることも分かります。つまり、肥満患者でも理想体重を基本に投与量を決定すれば、効果を予測しやすいといえます。ただし、肥満患者の場合には、なるべく早く気道確保したいという意図もあることでしょう。その際は、迅速な作用発現を優先し、あえて実体重換算量を投与することも一案となります。作用遷延にだけ注意していただければ、使い方は麻酔科医の考え方しだいだと思います。

それでは、スキサメトニウムの場合も理想体重換算がいいのでしょうか？ 答えは

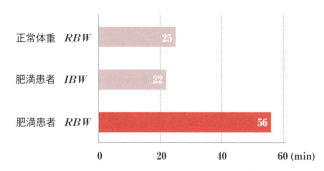

図1 ロクロニウム0.6mg/kgの25％作用持続時間
正常体重患者に実体重（real body weight：RBW）換算量、肥満患者に理想体重（ideal body weight：IBW）あるいは実体重換算量を投与した際の比較。
[Leykin Y, Pellis T, Lucca M, et al. The pharmacodynamics effects of rocuronium when dosed according to real body weight or ideal body weight in morbidly obese patients. Anesth Analg 2004；99：1086-9のデータをもとに作成]

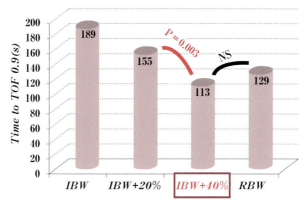

図2 スガマデクス2mg/kg投与後の回復時間
IBW換算量＋40％量が至適量という結果が得られている。
IBW：理想体重、RBW：実体重
[Leykin Y, Pellis T, Lucca M, et al. The pharmacodynamics effects of rocuronium when dosed according to real body weight or ideal body weight in morbidly obese patients. Anesth Analg 2004；99：1086-9のデータをもとに作成]

"NO"です。肥満患者ではスキサメトニウムの代謝を担う血清偽性コリンエステラーゼ活性が亢進しています。つまり、肥満患者でスキサメトニウムの十分な筋弛緩効果を得るには多めの量が必要になり、実体重換算で1mg/kgが至適量となります[2]。

では、回復を担うスガマデクスに関してはどうでしょう？ 臨床では肥満患者においてもスガマデクスは実体重換算での投与が勧められています。しかしスガマデクスの構造上、脂肪には溶け込みにくいでしょうし、病的肥満患者では筋肉量よりも脂肪量が増加しているため、理論的には筋弛緩薬と同様に、理想体重に基づく投与量でも十分効果を発揮し、実体重での投与は実際の筋肉量にとってはむしろ過量投与になってしまう危険性があるのではないでしょうか？ BMI＞40kg/m^2の肥満患者を、理想体重（ideal body weight：IBW）群、IBW＋20％群、IBW＋40％群、実体重（real body weight：RBW）群に分け、ロクロニウム投与後、T1またはT2が再出現した時点で、各群で指定された体重に基づく2mg/kgのスガマデクスを投与した結果では、図2のようにTOF（train-of-four）比0.9までの平均回復時間はRBW群、IBW＋40％に比較し、IBW群とIBW＋20％群では有意に回復が遅延しました。先の2群間には有意差が認められなかったことから、病的肥満患者での至適量はIBW＋40％換算量であることが示唆されています[3]。ところが、実体重換算のスガマデクスを投与したにもかかわらず、再クラーレ化を生じた症例も報告されています。115kgの患者でTOFカウントが2の時点でスガマデクス200mg（1.74mg/kg）が投与されました。5分後TOF比は0.9に回復し、抜管され、座位も可能なほど筋力は回復していたそうですが、PACU（麻酔後回復室）入室10分後、スガマデクス投与からは20分後に突然呼吸が停止しました。その際のTOFカウントは1で、再度スガマデクス200mgが投与され、3分以内にTOF比は0.9に回復したそうです。術中の筋弛緩モニ

タリングによる評価が不十分であった可能性があるものの、肥満患者でのスガマデクス投与量はまずは実体重で計算し、そのうえで回復評価や追加量の必要性について、個々の症例において慎重に決定されるべきなのでしょう[4]。

● 文献

1) Leykin Y, Pellis T, Lucca M, et al. The pharmacodynamics effects of rocuronium when dosed according to real body weight or ideal body weight in morbidly obese patients. Anesth Analg 2004；99：1086-9.
2) Lemmens HJM, Brodsky JB. The dose of succinylcholine in morbid obesity. Anesth Analg 2006；102：438-42.
3) Lancker PV, Dillemans B, Bogaert T, et al. Ideal versus corrected body weight for dosage of sugammadex in morbidly obese patients. Anaesthesia 2011；66：721-5.
4) Corre FL, Nejmeddine S, Fatahine C, et al. Recurarization after sugammadex reversal in an obese patient. Can J Anesth 2011；58：944-7.

Q24 妊婦での筋弛緩薬の作用変化は？

　妊婦で緊急帝王切開など全身麻酔が必要になった場合、スキサメトニウムやロクロニウムの作用動態を知っておく必要があります。

スキサメトニウムの代謝を担う血清コリンエステラーゼ活性は、妊娠期に増加したエストロゲンなどのホルモンの影響により非妊時の約70～80％に低下し、この低下は分娩7日後ぐらいまで持続します。しかし、この活性値の減少にもかかわらず、分娩満期の妊婦ではスキサメトニウムの作用持続時間が延長することはありません。なぜでしょう？　これは妊娠期の細胞外液量増加（分布容積の増加）が関連しています。分布容積が大きければ、体重換算でスキサメトニウムが投与された場合、その血中濃度は非妊婦に比べ低値を示すことになります。つまり血中濃度の低下と血清コリンエステラーゼ活性の減少が相殺的に作用することで、作用持続時間には影響しないのです。分娩直後には細胞外液量の正常化に対し、血清コリンエステラーゼ活性は依然減少した状態を維持するため、1週間くらいはスキサメトニウムの作用持続時間が延長する期間があります。

非脱分極性筋弛緩薬はどうでしょう。本邦では使用できませんが、ホフマン分解により代謝されるアトラクリウム、シスアトラクリウムは妊娠変化にほとんど影響を受けず、ミバクリウムは血清コリンエステラーゼ活性の低下により、若干、作用持続時間が延長します。

ステロイド型筋弛緩薬の場合、妊婦ではタンパク結合率の増加、相対的な肝血流量の減少、妊娠により増加したステロイドホルモンと肝臓への取り込みの競合が生じることや、あるいは体重換算で投与した場合には、肥満患者と同様に筋組織に対しては過量投与になっている危険性があり、作用が延長しやすいと考えられます。ロクロニウムでは25％程度の延長でそれほど顕著ではありません[1]が、ベクロニウムでは相当影響が大きくなります（図1）[2]。この差は何によるものかは明らかではありませんが、ロクロニウムはほとんど代謝されないのに比し、ベクロニウムは30～40％が肝臓で代謝され、ベクロニウムの60～70％程度の筋弛緩活性を有する3-OH体（図2）を産出することが関連していると推測されます。

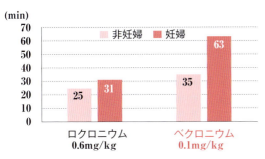

図1 非妊婦と妊婦における25％作用持続時間の比較

[Pühringer FK, Sparr HJ, Mitterschiffthaler G, et al. Extended duration of action of rocuronium in postpartum patients. Anesth Analg 1997 ; 84 : 352-4／Camp CE, Tessem J, Adenwala J, et al. Vecuronium and prolonged neuromuscular blockade in postpartum patients. Anesthesiology 1987 ; 67 : 1006-8のデータをもとに作成]

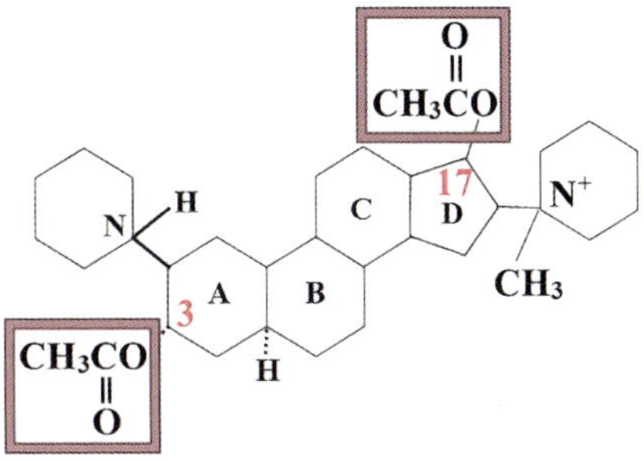

図2 ベクロニウムの代謝部位

肝臓においてステロイド核の3位（3-OH体）、17位（17-OH体）あるいは両部位（3,17-OH体）のアセチル基が水酸基に置換される。各代謝物の力価はベクロニウムの60～70％、5％、1％であり、3-OH体が蓄積性に関与する。

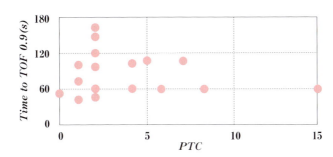

図3 帝王切開妊婦におけるスガマデクスの効果

深部遮断時のポストテタニックカウントとスガマデクス4mg/kg投与後のTOF比0.9までの回復時間。

[Williamsom RM, Mallaiah S, Barclay P. Rocuronium and sugammadex for rapid sequence induction of obstetric general anaesthesia. Acta Anaesthesiol Scand 2011 ; 55 : 694-9のデータをもとに作成]

　妊婦でのスガマデクスの効果は、筋弛緩モニタリング下に筋弛緩程度に合わせた至適量を用いれば、通常どおり迅速な回復が得られます（図3）[3]。もしかすると、妊婦では心拍出量が増加しているぶん、スガマデクスの効果がより速く現れる可能性もあり、今後の詳細な検討が望まれます。

● 文献

1) Pühringer FK, Sparr HJ, Mitterschiffthaler G, et al. Extended duration of action of rocuronium in postpartum patients. Anesth Analg 1997 ; 84 : 352-4.
2) Camp CE, Tessem J, Adenwala J, et al. Vecuronium and prolonged neuromuscular blockade in postpartum patients. Anesthesiology 1987 ; 67 : 1006-8.
3) Williamsom RM, Mallaiah S, Barclay P. Rocuronium and sugammadex for rapid sequence induction of obstetric general anaesthesia. Acta Anaesthesiol Scand 2011 ; 55 : 694-9.

Q25 脳波モニターには影響するの？

この質問には2つの内容が含まれています。ひとつは筋弛緩薬の投与により脳波モニター値が影響されるかという問いで、もうひとつは筋弛緩モニターの刺激が脳波モニターの値に影響するかという問いです。

まずは筋弛緩状態における脳波モニターに関してですが、BIS®モニターへの影響が検討されています。別項（薬理編 Q8 末梢性筋弛緩薬は、中枢神経系への作用はあるの？）で解説しましたが、筋弛緩薬は基本的に血液脳関門を通過しませんし、仮に関門が破壊されるような病態で通過したとしても中枢抑制作用は認められません。よって、筋弛緩薬自体がbispectral index scores（BIS値）を増減することは考えられません。BIS®モニターは覚醒状態を検出するのに電気的筋活動、つまり筋電図（electromyogram：EMG）を頼りにしています。よって覚醒状態にありながらも、筋弛緩状態にあれば、検知できる筋電活動の減少に伴いBIS値は減少します。それを示す、すごい研究結果があります。ボランティアを対象に実施された研究なのですが、まったくの意識下にスキサメトニウムあるいはロクロニウムを投与し、その際のBIS値変化を観察しています。恐ろしいと思いませんか？　スキサメトニウムは全身筋肉の線維束攣縮を起こしますから、相当痛いに違いありません。もちろんバッグマスク換気がなされるとしても、呼吸ができない恐怖を味わったことでしょう。よく倫理委員会で承認されたものです。筋弛緩中の意識を確認するために、一側上腕にマンシェットを巻き、加圧により前腕への循環を遮断し、筋弛緩薬投与後も指示に対して前腕を動かせる状態としておき反応性を評価しましたが、筋弛緩状態においても、全対象者で完全に覚醒していることが確認されました。その中でも、図1のようにBIS値は減少したのです[1]。つまり筋弛緩状態では、BIS値による鎮静度を完全に信用してはならないということになります。スガマデクスによる拮抗後はどうでしょう？　やはりEMG活動が増加するケースではBIS値が増加し、EMG活動が筋弛緩拮抗により変化しないケースではBIS値の変動はないようです（図2）[2]。BIS値の信頼度を評価するには、EMGを気にしておくことが重要になりそうです。

次に筋弛緩モニタリングの電気刺激の影響についてですが、皺眉筋モニタリングのため

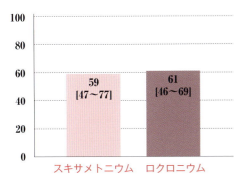

図1 筋弛緩投与後のBIS値の減少
[Schuller PJ, Newell S, Strickland PA, et al. Response of bispectral index to neuromuscular block in awake volunteers. Br J Anaesth 2015；115：i95-103のデータをもとに作成]

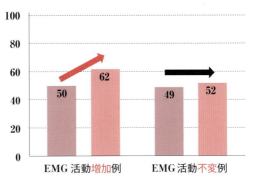

図2 スガマデクス投与後のBIS値変化
[Dahaba AA, Bornemann H, Hopfgartner E, et al. Effect of sugammadex or neostigmine neuromuscular block reversal on bispectral index monitoring of propofol/remifentanil anaesthesia. Br J Anaesth 2012；108：602-6のデータをもとに作成]

のトランスデューサとBIS電極を同時に前額部に装着した場合、たとえお互い逆側に装着したとしても、顔面神経刺激はBIS®モニターにスパイクとして感知されます。ただしBIS値に影響するほどの刺激頻度ではありませんので、この電気刺激が鎮静度評価に影響するとは考えにくいでしょう。実際に画面を観察していても、顔面神経刺激スパイクに合わせてBIS値が増大することはありません。

● 文献

1) Schuller PJ, Newell S, Strickland PA, et al. Response of bispectral index to neuromuscular block in awake volunteers. Br J Anaesth 2015；115：i95-103.
2) Dahaba AA, Bornemann H, Hopfgartner E, et al. Effect of sugammadex or neostigmine neuromuscular block reversal on bispectral index monitoring of propofol/remifentanil anaesthesia. Br J Anaesth 2012；108：602-6.

Q26 筋弛緩薬が、MACを下げるって本当？

A 前項で筋弛緩薬の投与により、脳波モニターでの鎮静度が増すことをお示ししましたが、そんなトリックのような話ではなく、実際に筋弛緩薬は吸入麻酔薬の最小肺胞濃度（minimum alveolar concentration：MAC）に影響するのです。古い研究なのですが、私が筋弛緩薬に対して興味を持つきっかけとなった論文のひとつをご紹介します。

予定手術患者をハロタン麻酔単独群とハロタン麻酔にパンクロニウムを併用した群に分け、ターニケットにより前腕あるいは下腿を筋弛緩作用から隔離し、執刀時に痛みを感じれば手や足が動くようにしておき、ハロタンのMACをアップダウン法で求めた結果、ハロタン単独群でのMACは0.73％だったのですが、パンクロニウムを投与した群では0.55％と約25％も減少しました（図1）[1]。別項（薬理編 **Q8** 末梢性筋弛緩薬は、中枢神経系への作用はあるの？）で述べたように、末梢性筋弛緩薬には中枢神経系への直接的な抑制作用はありませんので、この結果はどのように解釈すればいいのでしょうか？

動物を用いた研究では、イソフルランの麻酔深度を増していくと、脳波上 burst suppression が見られるようになります。suppressionの部分、つまり電気的活動が消失した部分の時間割合を求めたところ、パンクロニウムを投与するとこの割合が有意に増大し、ネオスチグミンで筋弛緩を拮抗するとコントロール値に戻るといった結果が得られていま

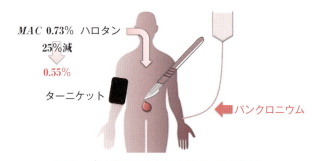

図1　パンクロニウムによるMACの減少

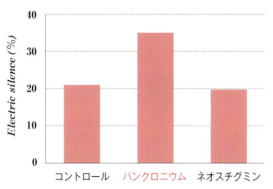

図2　5分間記録した脳波中に占める electric silence の割合
[Schwatz AE, Navedo AT, Berman MF. Pancuronium increases the duration of electroencephalogram burst suppression in dogs anesthetized with isoflurane. Anesthesiology 1992；77：686-90のデータをもとに作成]

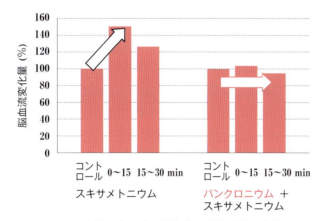

図3　スキサメトニウム投与後の脳血流量の変化
[Lanier WL, Milde JH, Michenfelder JD. Cerebral stimulation following succinylcholine in dogs. Anesthesiology 1986；64：551-9のデータをもとに作成]

す（図2）[2]。つまり、この結果からも末梢性筋弛緩薬は、吸入麻酔薬の中枢抑制作用を増強させることは疑いようがありません。しかし、末梢性筋弛緩薬は血液脳関門を通過しませんので、末梢性筋弛緩薬が直接的に中枢神経へ作用していないとすると、先の研究でパンクロニウムはどのようにMACを減少させたのでしょうか？　実は末梢性筋弛緩薬の中でも、脱分極薬と非脱分極薬とでは中枢神経機能への作用が異なるのですが、その違いが筋弛緩薬のMACへの影響を考えるうえで重要なヒントになります。

　ハロタン麻酔下のイヌにスキサメトニウムを投与すると、筋線維束攣縮の発現に伴い、脳波ではすぐに振幅が減高し、周波数が増加する覚醒脳波パターンとなり、これと同時に脳血流量が増加します（図3）。パンクロニウムを前投与し、スキサメトニウムを投与しても筋線維束攣縮が起こらないようにすると、脳波や脳血流量の変化が抑えられます[3]。ま

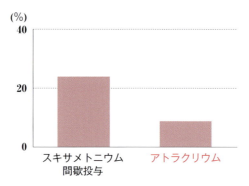

図4 筋弛緩薬の違いによる麻酔中の夢の経験率
[Hobbs AJ, Bush GH, Downham DY. Peri-operative dreaming and awareness in children. Anaesthesia 1988；43：560-2のデータをもとに作成]

た、筋弛緩薬非投与下に気管内や後肢に侵害刺激を加え、体動を起こさせると、やはり脳波で覚醒パターンとなり、脳血流が増加しますが、パンクロニウムで筋弛緩を得ていると、脳波の変化は抑えられ、脳血流は増加しません[4]。つまり、スキサメトニウムの筋線維束攣縮や非筋弛緩状態での体動は、筋紡錘からの深部固有知覚の求心性活動を増加させ、大脳皮質活動を増大させる結果、麻酔深度が浅くなり、逆に非脱分極性筋弛緩薬作用時には固有知覚の求心性刺激が消失しますので、そのぶんだけMACが下がるという機序が成り立ちます。全身麻酔を受ける小児患者で、スキサメトニウムの間歇投与、あるいはアトラクリウムで筋弛緩を維持し、術中に夢を見た頻度を比較した結果[5]からも、図4のようにスキサメトニウムは覚醒方向に、アトラクリウムは麻酔を深める方向に作用していると解釈できるでしょう。

●文献

1) Forbes AR, Cohen NH, Eger EI II. Pancuronium reduces halothane requirement in man. Anesth Analg 1979；58：497-9.
2) Schwatz AE, Navedo AT, Berman MF. Pancuronium increases the duration of electroencephalogram burst suppression in dogs anesthetized with isoflurane. Anesthesiology 1992；77：686-90.
3) Lanier WL, Milde JH, Michenfelder JD. Cerebral stimulation following succinylcholine in dogs. Anesthesiology 1986；64：551-9.
4) Lanier WL, Iaizzo PA, Milde JH, et al. The cerebral and systemic effects of movement in response to a noxious stimulus in lightly anesthetized dogs. Possible modulation of cerebral function by muscle afferents. Anesthesiology 1994；80：392-401.
5) Hobbs AJ, Bush GH, Downham DY. Peri-operative dreaming and awareness in children. Anaesthesia 1988；43：560-2.

Q27 ロクロニウムとスガマデクスは、胎盤を通過するの？

A　胎盤の薬物通過性を考える場合、基本的には分子量が500を超える薬物はほとんど通過できず、1,000を超えるものは通過しません。また、イオン化しているものは非常に通過しにくくなります。ロクロニウムとスガマデクスの分子量はそれぞれ610と2,178であり、どちらも血中ではイオン化していますので、胎盤通過はほとんどないと考えられます。表には筋弛緩薬の臍帯静脈血/母体静脈血濃度比を示していますが、胎盤通過の割合は非常に低いといえます。しかしこの濃度で、非脱分極性筋弛緩薬に感受性の高い新生児に本当に筋弛緩作用が現れないのでしょうか？　臨床的には帝王切開で全身麻酔を要する場合、迅速気管挿管が適用されますので、ロクロニウムは0.9mg/kg以上で投与されると思います。この高用量で母体に投与された場合、臍帯血濃度も比例的に増加するはずです。新生児の効果部位濃度のシミュレータはないので分かりませんが、なんとなく怖い感じもします。しかし実際、出生児がフロッピーだったとか、筋弛緩作用を疑わせる所見が認められたという経験は私自身ありませんし、文献上、多数の症例を扱った調査結果[1]でもアプガースコアに影響することはないようですから、高用量のロクロニウムの使用は問題ないと判断されます。むしろ臍帯静脈血/母体静脈血濃度比の正確性を疑って、再検してみたいと思っているのは私だけでしょうか……？

表　筋弛緩薬の臍帯静脈血/母体静脈血濃度比

ロクロニウム	0.16
ベクロニウム	0.14
パンクロニウム	0.26
アトラクリウム	0.12

［文献1）内から最高値を抽出］

● 文献
1) Stourac P, Adamus M, Seidlova D, et al. Low-dose or high-dose rocuronium reversed with neostigmine or sugammadex for cesarean delivery anesthesia：A randomized controlled noninferiority trial of time to tracheal intubation and extubation. Anesth Analg 2016；122：1536-45.

Q28 電気痙攣療法には、スキサメトニウムとロクロニウムのどちらがいいの？

A スキサメトニウムの副作用を考慮すると、短期間内に頻回に施行しなければならない電気痙攣療法（electroconvulsive therapy：ECT）には、ロクロニウムとスガマデクスの組み合わせを用いることが多くなってきました。スキサメトニウムを有効に代謝できない異型コリンエステラーゼ血症の患者[1]や、スキサメトニウムによる徐脈化に関連してBrugada症候群の症例[2]に、ロクロニウムとスガマデクスを使用して安全にECTを施行できたという報告もあります。また、ロクロニウムを使用することで痙攣時間の延長（図）が示されており[3]、治療効果へ寄与できる可能性があることや、処置後の筋痛や頭痛の減少[4]、覚醒時興奮を抑えられる[5]などの利点も報告されています。

臨床的にはロクロニウム-スガマデクスの組み合わせの利点が上回るように思いますが、腎不全を合併する症例では悩むところかと思います。スガマデクスは投与された分子のほとんどが尿中排泄されますので、無尿の腎不全患者の場合には、人工透析との関係を考慮する必要があります。1回の人工透析後には投与されたスガマデクスの約70％が除去され

I 薬理編

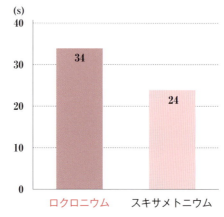

図　痙攣持続時間の差

[Turkkal DC, Gokmen N, Yildiz A, et al. A cross-over, post-electroconvulsive therapy comparison of clinical recovery from rocuronium versus succinylcholine. J Clin Anesth 2008；20：589-93のデータをもとに作成]

るようですが、30％は残存します。よって、次回施行時のロクロニウム筋弛緩が得られにくくなるはずです。ロクロニウムとスガマデクスの投与量にもよりますが、ECTと透析を複数回継続した場合には、筋弛緩効果がどうなるか予測がつかなくなることでしょう。腎不全患者は、もともと高カリウム血症になりやすいためにスキサメトニウム投与が禁忌になっていますが、人工透析により血清カリウム値がコントロールされていれば、スキサメトニウムを投与しても大丈夫と判断できます。私はまだ、腎不全患者のECTは経験がないのですが、実際に直面した場合には、ロクロニウム-スガマデクスあるいはスキサメトニウムのどちらを選択するか、悩むことでしょう。

　スキサメトニウムとロクロニウム-スガマデクスの筋弛緩の作用発現や回復時間には大きな差はありませんが、ロクロニウムを使う場合には、スキサメトニウムのように効果発現を示す線維束筋攣縮が認められないぶん、筋弛緩モニターによる判定が必要になります。不用意にECTを開始し、痙攣が抑えられなかった場合、神経筋損傷、歯や舌損傷、骨折などが起こりうるからです。さらにECT後、短時間内に拮抗する必要があり、スガマデクスの至適量の決定や筋弛緩からの至適回復を確認するには、筋弛緩モニターを使用した客観的評価が必須となります。

● 文献

1) Eissa S, Lim KS. Rocuronium and sugammadex as a novel management strategy in a patient with plasmacholinesterase deficiency presenting for electroconvulsive therapy. Anaesth Intensive Care 2011；39：764-5.
2) Konishi J, Suzuki T, Kondo Y, et al. Rocuronium and sugammadex used effectively for electroconvulsive therapy in a patient with Brugada syndrome. J ECT 2012；28：e21-2.
3) Turkkal DC, Gokmen N, Yildiz A, et al. A cross-over, post-electroconvulsive therapy comparison of clinical recovery from rocuronium versus succinylcholine. J Clin Anesth 2008；20：589-93.
4) Saricicek V, Sahin L, Bulbul F, et al. Does rocuronium-sugammadex reduce myalgia and headache after electroconvulsive therapy in patients with major depression? J ECT 2014；30：30-4.
5) Postaci A, Tiryaki C, Sacan O, et al. Rocuronium-sugammadex decreases the severity of post-electroconvulsive therapy agitation. J ECT 2013；29：e2-3.

ロクロニウムに肝機能障害が影響するのは分かるけれど……どの程度？

肝機能障害がロクロニウムの作用発現と作用持続に及ぼす影響を分けて考えてみましょう。

例えば、肝硬変により腹水が貯留しているような患者を想定した場合、ロクロニウムの分布容積が増大していますので、健常者に比べ有効投与量が大きくなっています。これは肝硬変患者の終板でロクロニウムの薬力学的効果が変わっているわけではなく、あくまで分布容積が多く、同量のロクロニウムを投与した際に血中濃度が薄まることに起因します。よって、初回投与時には健常者と比較して、その抑制率は少なく、かつ作用発現が遅くなることがあります。これは、透析による除水を少なめにして手術に臨んだ腎不全患者でも同じことがいえます。作用時間延長を想定して、ロクロニウムを少量投与にとどめる場合には気管挿管開始までの時間を十分に取り、それでも体動が強い場合には追加投与しましょう。

ロクロニウムはほとんど体内で代謝されることなく、70％以上が胆汁中にそのまま排泄

表1 ステロイド型非脱分極性筋弛緩薬の代謝と排泄

	代謝	排泄	
		肝（胆汁）	腎（尿）
ロクロニウム	代謝されない	＞70％	＜30％
ベクロニウム	30〜40％が肝で代謝	60％	40％
パンクロニウム	10〜20％が肝で代謝	15％	85％

表2 肝硬変患者でのロクロニウムの薬物動態変化

	クリアランス (ml/kg/min)	分布容積 (ml/kg)	排泄半減期 (min)
健常者	3.7	211	92
肝硬変患者	2.7	248	143

[van Miert MM, Eastwood NB, Boyd AH, et al. The pharmacokinetics and pharmacodynamics of rocuronium in patients with hepatic cirrhosis. Br J Clin Pharmacol 1997 ; 44 : 139-44のデータをもとに作成]

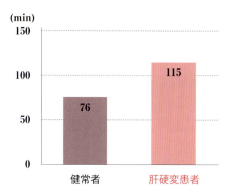

図　ロクロニウム0.6mg/kg投与後、TOF（train-of-four）比0.7までの回復時間

〔van Miert MM, Eastwood NB, Boyd AH, et al. The pharmacokinetics and pharmacodynamics of rocuronium in patients with hepatic cirrhosis. Br J Clin Pharmacol 1997；44：139-44のデータをもとに作成〕

されます（表1）。つまり、いったん神経筋遮断されたあとでは作用持続は肝排泄に依存しているため、当然、肝機能障害や肝硬変患者では作用が延長します。ロクロニウムのクリアランスは有意に減少し（表2）、作用持続時間は健常者の約1.5〜2倍に延長します（図）[1]。代謝を臓器に依存しないアトラクリウム、シスアトラクリウムの薬物動態、作用持続時間は肝疾患によってほとんど影響されませんので、肝機能障害患者では本来であればベンジルイソキノリン系が選択されるべきなのだと思います。本邦では筋弛緩モニターで評価しながら、ロクロニウムを投与せざるをえません。特に長時間手術のためロクロニウムの持続投与により管理する症例では、蓄積性に配慮し、モニタリング下に投与量を減量していくことが必要となります。

● 文献

1) van Miert MM, Eastwood NB, Boyd AH, et al. The pharmacokinetics and pharmacodynamics of rocuronium in patients with hepatic cirrhosis. Br J Clin Pharmacol 1997；44：139-44.

蓄積性──ベクロニウムにあって、ロクロニウムにはないの？

蓄積性とは何でしょう？　本邦で使用されているロクロニウムとベクロニウムは、主に肝臓を介して体外に排泄されますので、これらの臓器機能障害を有する患者ではクリアランスが低下するために、正常機能患者より作用が延長します。同じペースで間歇投与を続けたり、投与量を一定にして持続投与したりする場合には、当然体外に排泄されづらいわけですから、時間とともに体内に蓄積されていくことになります。よって、ロクロニウムとベクロニウムは、肝機能障害患者では蓄積性があるといえます。

　この患者リスク以外、筋弛緩薬自体の性質による蓄積性を考慮する必要があります。それは、代謝により産出される代謝物の存在です。ベクロニウムはステロイド核の3位と17位のアセチル基（図1）が水酸基に変換された代謝物が存在しますが、それぞれ3-OHベクロニウム、17-OHベクロニウム、両部位が置換された3,17-OHベクロニウムと呼ばれます。17-OH体はベクロニウムの5％、3,17-OH体は1％の力価しか有さず、かつヒトでは検出されにくいので問題になりませんが、3-OH体はもとのベクロニウムと比較して、最大で80％程度の力価を有しながら、かつクリアランスが小さく、排泄半減期が長い（図2）という点で、長時間投与時には大いに蓄積性に関与してきます[1]。一方、ロクロニウムの場合には、3位はすでに水酸基であり、代謝物としては17-OH体のみが想定されますが、これも力価が弱く、ロクロニウムの5％の効果しかなく、かつヒトではほとんど検出されませ

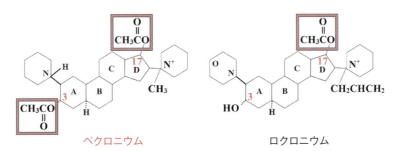

図1　ベクロニウムとロクロニウムの代謝部位

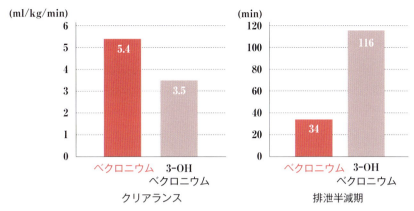

図2 ベクロニウムと3-OHベクロニウムのクリアランスと排泄半減期
[Caldwell JE, Szenohradszky J, Segredo V, et al. The pharmacodynamics and pharmacokinetics of the metabolite 3-desacetylvecuronium (ORG 7268) and its parent compound, vecuronium, in human volunteers. J Pharmacol Exp Ther 1994；270：1216-22のデータをもとに作成]

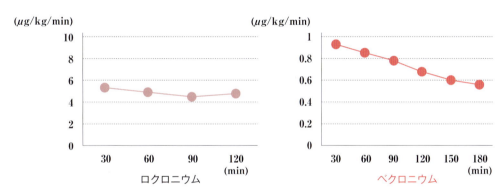

図3 ベクロニウムとロクロニウムの持続投与量の推移
母指内転筋でコントロールの10％を維持するように投与量を調節した場合、ベクロニウムは継時的に投与量を減少させる必要がある。
[Suzuki T, Mizutani H, Miyake E, et al. Infusion requirements and reversibility of rocuronium at the corrugator supercilii and adductor pollicis muscles. Acta Anaesthesiol Scand 2009；53：1336-40／Matineau RJ, St.-Jean B, Kitts JB, et al. Cumulation and reversal with prolonged infusions of atracurium and vecuronium. Can J Anaesth 1992；39：670-6のデータをもとに作成]

ん。基本的にロクロニウムは、ほとんど生体内代謝を受けないで、そのままの形で排泄されますので、ロクロニウム自体には蓄積性はないと考えてよいでしょう。実際、一定レベルの筋弛緩状態を維持するように持続投与していると、ロクロニウムの場合には持続投与量を変更する必要性はありません[2]が、ベクロニウムは時間とともに投与量を減少させる必要があります（図3）[3]。これがまさに蓄積性を示しているのです。

● 文献

1) Caldwell JE, Szenohradszky J, Segredo V, et al. The pharmacodynamics and pharmacokinetics of

the metabolite 3-desacetylvecuronium (ORG 7268) and its parent compound, vecuronium, in human volunteers. J Pharmacol Exp Ther 1994 ; 270 : 1216-22.
2) Suzuki T, Mizutani H, Miyake E, et al. Infusion requirements and reversibility of rocuronium at the corrugator supercilii and adductor pollicis muscles. Acta Anaesthesiol Scand 2009 ; 53 : 1336-40.
3) Matineau RJ, St.-Jean B, Kitts JB, et al. Cumulation and reversal with prolonged infusions of atracurium and vecuronium. Can J Anaesth 1992 ; 39 : 670-6.

Q31 肝切除時のロクロニウム——いつもどおり投与していいの？

前項（Q30 蓄積性——ベクロニウムにあって、ロクロニウムにはないの？）で記したように、ロクロニウムの排泄はほぼ肝経由ですから、肝切除の際のプリングル法による肝動脈と門脈のクランプは、ロクロニウムの肝臓への移行を制限すると考えられます。図1に自験例をお示ししますが、プリングル中はロクロニウムの作用時間がどんどん長くなり、プリングルを終了しても、すぐにはもとの作用時間に回復しません。ロクロニウムの血中濃度は測定していませんので、確定的なことは申し上げられませんが、プリングル法施行中はロクロニウムの肝排泄が阻害され、通常よりも血中濃度低下が有意に遅延することで、同じ量のロクロニウムを間欠的に投与していても、作用持続時間が延長していくと推測されます。この現象は当然のことながら、筋弛緩モニタリングをしていなければ気づくことはできません。

ロクロニウムを持続投与される方にご注意いただきたいことがあります。とくに筋弛緩モニターによる評価をせずに、メーカーの推奨する投与速度である7μg/kg/minで画一

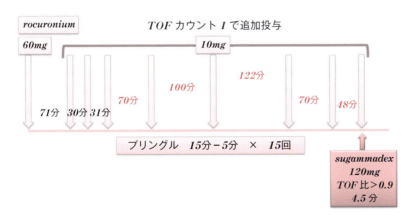

図1 自験例（63歳・男性、体重60 kg）：肝切除中のロクロニウムの作用時間の推移
プリングル法の間は作用時間が延長している。TOF：train-of-four

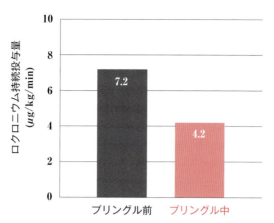

図2　ロクロニウム持続投与量へのプリングル法の影響
[Kajiura A, Nagata O, Sanui M. The pringle maneuver reduces the infusion rate of rocuronium required to maintain surgical muscle relaxation during hepatectomy. J Anesth 2018；32：409-13のデータをもとに作成]

的に投与されている方に向けてです。一般的な症例では、スガマデクスのおかげでお困りになったことはないかもしれませんが、肝切除中のロクロニウムの持続投与に関しては慎重になっていただかなくてはなりません。ロクロニウムの持続投与により中等度（T1がコントロールの10％以下）の筋弛緩効果を維持し、その後、プリングル法の最中に同じレベルの筋弛緩が得られるようロクロニウムの投与量を調整すると、図2のようにプリングル中はおよそ半量でも目標とする筋弛緩状態が得られます[1]。ですから7μg/kg/minの持続投与量をプリングル中もそのまま継続しているとすると、かなりのオーバードーズとなることはご理解いただけると思います。手術時間が長いケースほど、持続投与は筋弛緩作用遷延のリスクが高く、筋弛緩モニタリングによる評価が必要です。

●文献
1) Kajiura A, Nagata O, Sanui M. The pringle maneuver reduces the infusion rate of rocuronium required to maintain surgical muscle relaxation during hepatectomy. J Anesth 2018；32：409-13.

異なる筋弛緩薬を併用してはいけないの？

A この質問は、作用時間の異なる筋弛緩薬を併用し、使い分けるという意味ととらえてお答えします。ロクロニウムはその作用発現が迅速である点、気管挿管にとても適した筋弛緩薬ですが、中時間作用性であるため、筋弛緩を維持するのに頻回に間歇投与しなければなりません。これは調節性がよいという利点である一方、人によっては長時間手術の場合に投与が面倒という欠点にもなりえます。その欠点を軽減するため、ロクロニウムの場合は持続投与ができるのですが、それ以外の方法としては最初にロクロニウムを使い、その後の維持期には（現在は使用できませんが）長時間作用性のパンクロニウムを用い、最終的には再度ロクロニウムに戻して回復を得るという作戦はどうでしょう？ パンクロニウムがまだ使えるとしたら、あなたは試してみたいでしょうか？ 私は研究としては興味ありますが、普段の臨床では"NO"ですね。その理由をご説明しましょう。

これも終板のアセチルコリン受容体の安全域（margin of safety）と関わります。薬理編 **Q3** 安全域とは？ の項をもう一度読んでいただくと、よく理解していただけると思います。最初にロクロニウムを投与し、その後TOF（train-of-four）カウントが回復してくるころには、受容体の約90％はまだロクロニウムで占拠されています（）。そこにパンクロニウムを投与しても、一部競合があるにしても、ほとんどはロクロニウムが受容体を占拠し、パンクロニウムは10％程度を占拠するにとどまります。つまり、パンクロニウムの投与により再度筋弛

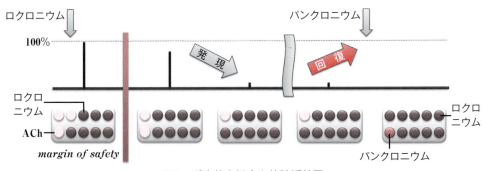

図1 受容体占拠率と筋弛緩効果
ACh：アセチルコリン

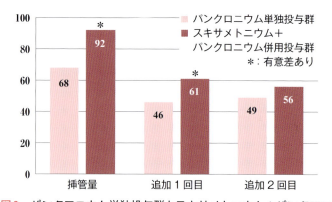

図2 パンクロニウム単独投与群とスキサメトニウム＋パンクロニウム併用投与群におけるパンクロニウム作用持続時間の比較
[Ono K, Manabe N, Ohta Y, et al. Influence of suxamethonium on the action of subsequently administered vecuronium and pancuronium. Br J Anaesth 1989; 62: 324-6のデータをもとに作成]

緩は深くなりますが、まだロクロニウムの作用が中心なので、作用時間もロクロニウムの中時間作用を呈するということになります。何回か投与を繰り返すことで、パンクロニウムが優位に受容体を占拠できるようになりますので、本来の長時間作用を示すようになります。こんな作用時間が読めない投与法は、安全とは言えませんよね。今度は、パンクロニウムからロクロニウムに戻す際ですが、どうなるかもうお分かりですね。ロクロニウム本来の作用時間が得られるには、やはり相当時間を要するのです。将来、長時間作用性筋弛緩薬が開発されるかは分かりませんが、筋弛緩薬に関する知識としては持っておいて損はないでしょう。

　次に、脱分極性筋弛緩薬と非脱分極性筋弛緩薬の併用について考えてみましょう。以前は、気管挿管時にはスキサメトニウム、その後の維持にはパンクロニウムやベクロニウムを投与するのが一般的でした。この場合の非脱分極性筋弛緩薬の作用ですが、スキサメトニウムの前投与の有無によって変化するということを知っておられる方は、私よりご年配の先生方に限られるのではないでしょうか？　スキサメトニウム前投与後に非脱分極性筋弛緩薬を投与した場合、単独で最初から非脱分極性筋弛緩薬を投与した場合と比較して、作用持続時間が有意に延長するのです。図2は、パンクロニウム単独投与群と、スキサメトニウム＋パンクロニウム併用投与群における、パンクロニウム作用持続時間を比較しています。パンクロニウムの挿管量は0.08 mg／kg、維持量は0.02 mg／kgで、単収縮が25％回復時に追加投与しています。このデータから判断すると、スキサメトニウム投与後2時間程度は、パンクロニウムの作用延長を考慮せねばなりません。残念ながら、このメカニズムは解明されていません。スキサメトニウムのアセチルコリン受容体脱分極反応が、その後のパンクロニウムの受容体への結合力を上昇させているのかもしれません。

●文献
1) Ono K, Manabe N, Ohta Y, et al. Influence of suxamethonium on the action of subsequently administered vecuronium and pancuronium. Br J Anaesth 1989 ; 62 : 324-6.

Q33 ICUの重症患者に、筋弛緩薬を投与してはいけないの？

重症患者への筋弛緩薬の長期投与は、ICU（intensive care unit）acquired weakness 発症のリスクがあるため推奨されていません。ICU acquired weakness とは、多発性ニューロパチーやミオパチー、筋萎縮の病態を呈し、敗血症、多臓器不全、長期不動化、高血糖、ステロイドや筋弛緩薬の投与がその発症に関連すると考えられています。そのため急性呼吸促迫症候群（acute respiratory distress syndrome：ARDS）で人工呼吸を受けている患者で、酸素化改善目的あるいは人工呼吸器誘発肺損傷を避けるために、筋弛緩薬を投与することの是非は、あくまで個々の患者でリスクベネフィットを鑑みたうえで決定されなければなりません。2010年に、ARDS患者への筋弛緩薬投与の指針となりえるデータが報告されました。ARDS発症初期に、48時間程度の短期間に限って筋弛緩薬を投与すると、90日後の死亡率が有意に低下するという報告です。実際の死亡率ですが、筋弛緩薬非投与群の40.7％に比較して、筋弛緩薬投与群では31.6％に改善しています。2日間程度の筋弛緩であれば、ICU acquired weaknessの発症頻度にも影響がありませんでした。この短期間の筋弛緩薬投与の効果については、いまだ議論のあるところですが、このプロトコールで使用されている筋弛緩薬はベンジルイソキノリン系のシスアトラクリウムであることが重要なポイントになります。シスアトラクリウムは中時間作用性で、体内で自然分解される性質上、ステロイド型筋弛緩薬のようにその排泄が肝腎機能に影響されません。高齢者や重症患者でも作用時間が延長しにくいのが利点になります。ですから、重症患者での筋弛緩はシスアトラクリウムを選択すべきなのですが、残念ながら本邦では使用できません。

短期間の筋弛緩薬投与が換気状態を改善させる機序としては、自発呼吸を消して人工呼吸器との同調性が得られる結果、人工呼吸器誘発肺損傷が軽減できるからと推察されます。また、あくまで実験的な結果に基づくと、筋弛緩薬が直接的な抗炎症作用を有する可能性があるようです。筋弛緩薬は終板の筋型アセチルコリン受容体（α_1、α_1、β、δ、ε）に結合して、筋弛緩作用を発揮しますが、肺上皮細胞、内皮細胞や白血球上に存在する同受容体をブロックして、抗炎症作用を発揮することが示されています。ラット肺損傷モデル

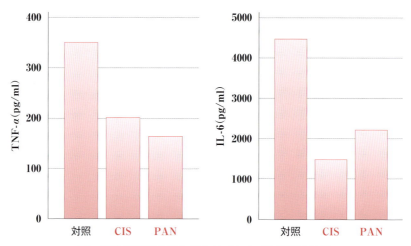

図　筋弛緩薬による血漿内サイトカイン濃度の変化

TNF：腫瘍壊死因子、IL：インターロイキン、CIS：シスアトラクリウム、PAN：パンクロニウム

[Fanelli V, Morita Y, Cappello P, et al. Neuromuscular blocking agent cisatracurium attenuates lung injury by inhibition of nicotinic acetylcholine receptor-α1. Anesthesiology 2016；124：132-40のデータをもとに作成]

への筋弛緩薬投与により、炎症性サイトカインである腫瘍壊死因子(TNF)-α、インターロイキン(IL)-6が減少し（図）、コンプライアンスや酸素化の改善が得られています[1]。もしかすると筋弛緩薬は、このような直接的な抗炎症作用をも持ち合わせているかもしれません。

●文献

1) Fanelli V, Morita Y, Cappello P, et al. Neuromuscular blocking agent cisatracurium attenuates lung injury by inhibition of nicotinic acetylcholine receptor-α1. Anesthesiology 2016；124：132-40.

麻酔薬はどの程度、筋弛緩薬の作用に影響するの？

 全身麻酔中に筋弛緩薬の効果に影響する因子（表）はたくさんありますが、なんといっても併用投与することの多い吸入麻酔薬の影響が大きいことは間違いありません。図1にはセボフルラン吸入時の母指内転筋で記録したTOF（train-of-

表　非脱分極性筋弛緩薬の効果を増強する薬物

吸入麻酔薬	ハロタン＜エンフルラン＜イソフルラン＜セボフルラン≒デスフルラン
局所麻酔薬	リドカイン、メピバカインなど全般
静脈麻酔薬、麻薬	チオペンタール、プロポフォール、ケタミン、ドロペリドール、モルヒネなど
抗精神病薬	炭酸リチウム、クロルプロマジン
抗不整脈薬	β遮断薬、キニジン、リドカイン、マグネシウム
血管拡張薬	ニトログリセリン、アデノシン三リン酸ニナトリウム水和物（ATP）、カルシウム拮抗薬
抗菌薬	アミノグリコシド系（ゲンタマイシン、カナマイシンなど）、ペプチド系（バンコマイシン、クリンダマイシンなど）、テトラサイクリン
免疫抑制薬	シクロスポリン、D-ペニシラミン
そのほか	ダントロレン、ドキサプラム

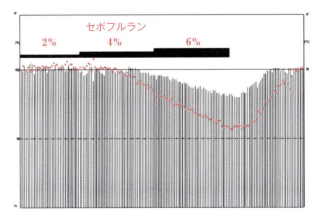

図1　セボフルラン吸入による神経筋抑制効果（自験データ）
　　　縦線はT1、●点はTOF比を示す。

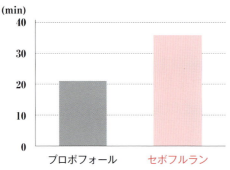

図2 ロクロニウム1mg/kg投与後にポストテタニックカウントが再出現するまでの時間―プロポフォールとセボフルラン麻酔時の比較―（自験データ）

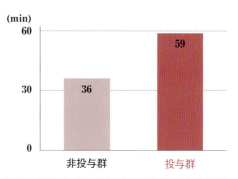

図3 硬膜外メピバカイン投与群と非投与群でのT1 25％からTOF比0.9までの回復時間
[Suzuki T, Mizutani H, Ishikawa K, et al. Epidurally administered mepivacaine delays recovery of train-of-four ratio from vecuronium-induced neuromuscular block. Br J Anaesth 2007；99：721-5.のデータをもとに作成]

four）反応を示していますが、筋弛緩薬を投与していないにもかかわらず、濃度依存性にT1もTOF比も減少しています。吸入麻酔薬単独で筋弛緩効果が得られるくらい、神経筋刺激伝達に大きく影響するのです。筋弛緩薬と吸入麻酔薬を併用投与すれば、その作用が増強されるのは当然です。現在使用されている吸入麻酔薬では、イソフルラン＜セボフルラン≒デスフルランの順に筋弛緩薬の増強効果が強く、全静脈麻酔時と比較すれば1.5倍程度の効果増強や作用延長があるはずです。図2にはロクロニウムによる深部遮断維持可能時間を示していますが、プロポフォールを用いた全静脈麻酔時に比べ、セボフルラン麻酔時にはやはり1.5倍程度作用が延長し、より長く深部遮断が維持されます。静脈麻酔薬も筋弛緩増強作用は有していますが、吸入麻酔薬と比較すれば抑制度は低いため、筋弛緩研究時には、筋弛緩薬に影響の少ない静脈麻酔薬、麻薬、亜酸化窒素を組み合わせて麻酔を維持することが推奨されます。

　局所麻酔薬の影響も大きく、硬膜外投与でも筋弛緩薬の作用に有意に影響します。例えば、メピバカインの硬膜外投与時のベクロニウムの効果を見た結果ですが、T1がコントロールの25％に達した時点からTOF比0.9への回復時間は、硬膜外投与時に有意に延長しています（図3）[1]。臨床麻酔時には、この効果を考慮しながら筋弛緩薬を投与する必要がありますし、やはり筋弛緩研究時には局所麻酔薬の投与を避けたほうがいいでしょう。

●文献
1) Suzuki T, Mizutani H, Ishikawa K, et al. Epidurally administered mepivacaine delays recovery of train-of-four ratio from vecuronium-induced neuromuscular block. Br J Anaesth 2007；99：721-5.

Q35 硬膜外麻酔による運動神経遮断で、筋弛緩薬はいらないの？

A 脊髄くも膜下麻酔時に腹筋が緩み、腹式呼吸ができなくなることは、皆さんよく経験されていますよね。ですから局所麻酔薬濃度を濃くすれば、硬膜外麻酔でも運動神経遮断は生じますので、腹筋弛緩に有効なのは間違いありません。しかし、筋弛緩薬を維持投与しなくてもよいほど、硬膜外麻酔だけで腹筋はゆるゆるになるのでしょうか？　実は、これを自信をもって説明しうる研究結果はほとんどありません。おそらく、腹筋の神経筋遮断を測定する手段が難しいからなのだと思います。唯一、臨床的に参考になる研究[1]があります。ボランティアにL2/3より硬膜外腔に局所麻酔薬を投与して、下肢のBromageスケールなどの運動機能の変化を評価しているのですが、腹直筋の筋電図（electromyogram：EMG）変化も同時に見ていますので参考になります。局所麻酔薬として1%ロピバカイン20 mlを投与した場合のEMG変化を図1に示しています。

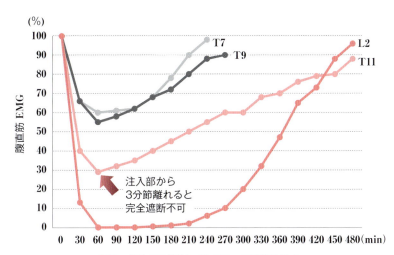

図1　1% ロピバカイン20 ml 硬膜外注入

EMG：筋電図

[Zaric D, Axelsson K, Philipson L, et al. Blockade of the abdominal muscles measured by EMG during lumbar epidural analgesia with ropivacaine—A double-blind study. Acta Anaesthesiol Scand 1993；37：274-80のデータをもとに作成]

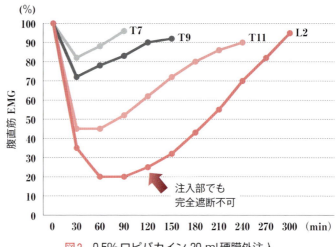

図2　0.5%ロピバカイン 20 ml 硬膜外注入

EMG：筋電図
[Zaric D, Axelsson K, Philipson L, et al. Blockade of the abdominal muscles measured by EMG during lumbar epidural analgesia with ropivacaine—A double-blind study. Acta Anaesthesiol Scand 1993；37：274-80のデータをもとに作成]

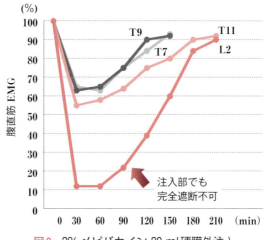

図3　2%メピバカイン 20 ml 硬膜外注入

EMG：筋電図
[Nydahl PA, Axelsson K, Philipson L, et al. Motor blockade and EMG recordings in epidural anaesthesia. A comparison between mepivacaine 2%, bupivacaine 0.5% and etidocaine 1.5%. Acta Anaesthesiol Scand 1989；33：597-604のデータをもとに作成]

確かに、注入部位のL2領域で記録したEMGでは、数時間の完全遮断が生じています。しかし、注入部位から3分節以上離れると、完全に遮断するのは困難であることが分かります。ですので、腹部全体の十分な筋弛緩を得るには、1%ロピバカインを20 mlでは無理ということになります。ところで皆さんは、胸部硬膜外麻酔で1%ロピバカインを20 mlも

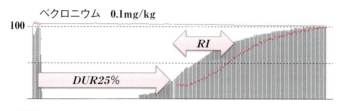

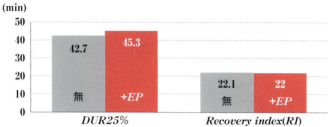

図4 硬膜外麻酔（EP）のベクロニウム作用時間への影響
DUR 25%：T1がコントロールの25%に回復する時間、RI：recovery index、EP：硬膜外麻酔
[Suzuki T, Mizutani H, Ishikawa K, et al. Epidurally administered mepivacaine delays recovery of train-of-four ratio from vecuronium-induced neuromuscular block. Br J Anaesth 2007；99：721-5のデータをもとに作成]

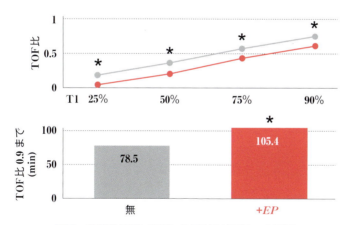

図5 硬膜外麻酔（EP）のTOF比回復への影響
[Suzuki T, Mizutani H, Ishikawa K, et al. Epidurally administered mepivacaine delays recovery of train-of-four ratio from vecuronium-induced neuromuscular block. Br J Anaesth 2007；99：721-5のデータをもとに作成]

投与することがありますか？ 私は怖くて、とってもできません。10 mlが関の山でしょうか？ 濃度を薄くして臨床濃度に近い0.5％ロピバカイン20 mlで試すと、注入部位の分節でも完全遮断は得られません（図2）。運動神経遮断が強いはずのメピバカインではどうでしょう？ 図3を見ていただくとお分かりいただけますが、驚くことにロピバカインよりも、2％メピバカイン20 mlのほうがEMGの振幅抑制率は少ないのです[2]。つまり、硬膜外麻酔単独では、十分な範囲の腹部筋弛緩状態が得られないと判断されますので、適切な筋弛緩状態を提供するには筋弛緩薬の投与が必要になるでしょう。

局所麻酔薬は筋弛緩薬の作用を増強する効果を有する、と教科書に書かれています。硬膜外に投与された局所麻酔薬が全身性に吸収されて、ロクロニウムと相互作用して筋弛緩作用を強めるわけですが、それではどのような作用態度を取るのでしょうか？　私たちがずいぶんと昔に行ったベクロニウムを用いた研究結果（図4）ですが、T1を指標にした投与から25％回復までの作用持続（T1 to 25% of control：DUR 25％）や、25％から75％回復までの回復指数（recovery index：RI）には、硬膜外麻酔を併用しても有意差が出ませんでした。ところが図5のように、同じT1値に回復時、その際のTOF（train-of-four）比は硬膜外麻酔時に低値となり、ベクロニウム投与からTOF比0.9までの回復は硬膜外麻酔併用時に有意に遅れたのです[3]。これの意味するところを推察すると、T1、つまりシナプス後の現象には影響せずに、TOF比、つまりシナプス前の現象に影響したといえます（薬理編 Q5 筋弛緩薬は、終板の受容体以外にも作用するの？　の項を参照）。局所麻酔薬は、ベクロニウムの終板への作用を増強させずに、神経終末からのアセチルコリン放出抑制に加担したと考えるのが妥当でしょう。筋弛緩からの至適回復評価時には、留意が必要です。

● 文献
1) Zaric D, Axelsson K, Philipson L, et al. Blockade of the abdominal muscles measured by EMG during lumbar epidural analgesia with ropivacaine—A double-blind study. Acta Anaesthesiol Scand 1993；37：274-80.
2) Nydahl PA, Axelsson K, Philipson L, et al. Motor blockade and EMG recordings in epidural anaesthesia. A comparison between mepivacaine 2％, bupivacaine 0.5％ and etidocaine 1.5％. Acta Anaesthesiol Scand 1989；33：597-604.
3) Suzuki T, Mizutani H, Ishikawa K, et al. Epidurally administered mepivacaine delays recovery of train-of-four ratio from vecuronium-induced neuromuscular block. Br J Anaesth 2007；99：721-5.

Q36 カルシウムは分かるけれど、カリウムが影響するの？

A カルシウムは皆さんご存知のように、神経終末に届いた脱分極により電位依存性カルシウムチャネルを介して神経内に取り込まれ、貯蔵型シナプス小胞から放出型シナプス小胞への動員を担います。つまり神経終末からのアセチルコリン放出には、カルシウムイオンは必須の因子なのです。よって高カルシウム血症になれば、アセチルコリン放出は増強され、アセチルコリン受容体が非脱分極性筋弛緩薬と競合しますので、同じ筋弛緩レベルを得ようとすれば、より多くの筋弛緩薬量が必要になります。副甲状腺機能亢進症で高カルシウム血症の患者では、非脱分極性筋弛緩薬は効きにくくなり、低カルシウム血症を伴う副甲状腺機能低下症や腎疾患などでは効きやすくなるはずです。パンクロニウムの古いデータでの検討ですが、例えば、カルシウム濃度が3 mmol/*l*から2 mmol/*l*に低下したとすると、ED_{50}（50％有効量）は約35％減少します[1]。おそらくロクロニウムにも通ずることでしょう。マグネシウムは子癇発作予防や褐色細胞腫の循環安定化薬、抗不整脈薬などとして用いられますが、カルシウムと拮抗して、神経終末からのアセチルコリン放出を抑制するために筋弛緩作用を強力に増強させます（図1）[2]。

　カルシウムの筋弛緩薬への影響は理解できる方は多いようですが、カリウムについてはいかがでしょう？　メカニズムを考えてみましょう。カリウムは神経脱分極に関わるイオンであることはよくご存じだと思います。脱分極時にはナトリウムが細胞外から細胞内に入り、膜電位が閾膜電位を超えプラスに転じピークに達すると、カリウムが細胞内から細胞外に移動し再分極に向かいます（図2）。静止膜電位は、ナトリウムが細胞外、カリウムが細胞内に再輸送後、イオンの濃度勾配によって形成されますが、透過性の高いカリウムに大きく影響されます。ネルンストの式を用いて、膜を隔てたカリウムイオン濃度から細胞内外の電位差を計算すると、

　電位差＝－62・log 細胞内濃度（150 mEq/*l*）／細胞外濃度（5 mEq/*l*）＝－90 mV

となります。静止膜電位は、この値に近い－70 mVをとります。

　低カリウム血症はアルカローシス、インスリン使用時やフロセミドの副作用などで認められますが、例えば3 mEq/*l*に減少したとします。その際、ネルンストの式から静止膜電

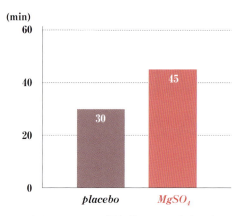

図1 ロクロニウム0.6mg/kg投与後、TOFカウント2まで自然回復するまでの時間

硫酸マグネシウムを麻酔導入15分前に60mg/kg投与すると、作用時間が1.5倍に延長する。

[Czarnetzki C, Tassonyi E, Lysakowski C, et al. Efficacy of sugammadex for the reversal of moderate and deep rocuronium-induced neuromuscular block in patients pretreated with intravenous magnesium. A randomized cotrolled trial. Anesthesiology 2014；121：59-67のデータをもとに作成]

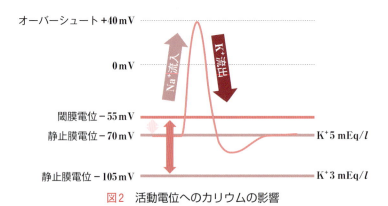

図2 活動電位へのカリウムの影響

位は−105 mVとなりますので、−70 mV時と比べて閾値を超えるのに余分な電位を必要とします。神経は脱分極しにくくなるわけですから、非脱分極性筋弛緩薬はより効きやすくなるのです。血漿カリウム濃度が5 mEq/*l*から3 mEq/*l*に低下したとすると、筋弛緩薬のED$_{50}$はカルシウムの場合と同じように約35%減少します[1]。

文献

1) Waud BE, Waud DR. Interaction of calcium and potassium with neuromuscular blocking agents. Br J Anaesth 1980；52：863-6.
2) Czarnetzki C, Tassonyi E, Lysakowski C, et al. Efficacy of sugammadex for the reversal of moderate and deep rocuronium-induced neuromuscular block in patients pretreated with intravenous magnesium. A randomized cotrolled trial. Anesthesiology 2014；121：59-67.

頭部挙上ができれば大丈夫？

　これまでは5秒間の頭部挙上、下肢挙上、手を強く握っていられるなどが、筋弛緩からの回復の臨床指標として用いられてきました。確かに教科書にも、そのように書いてありますよね。呼吸の回復指標のひとつとして、最大吸気圧が－25 cmH$_2$Oあれば、分時換気量を維持できる吸気筋力が備わっていることが示唆されますが、この最大吸気圧といくつかの臨床症状を比較した研究により、5秒間の頭部挙上ができれば、その際の最大吸気圧は－50 cmH$_2$Oに達していることが保証され、気道閉塞を防ぎうるという結果に基づいています[1]。この研究は少量ずつd-ツボクラリンを健常成人に投与して、数段階の筋弛緩状態を維持しながら、最大吸気圧の計測と図に示すような臨床症状の可否の確認がなされました。頭部挙上以外には、下肢挙上は最大吸気圧－50 cmH$_2$Oがあれば可能であり、嚥下は－43 cmH$_2$O、下顎を自分で挙げて切歯を接触させるのが－42 cmH$_2$O、舌根沈下がないためには－39 cmH$_2$O、バルサルバ法のために声帯を閉鎖するには－33 cmH$_2$Oを要します。つまり、頭部や下肢の挙上が最大吸気圧との関連におい

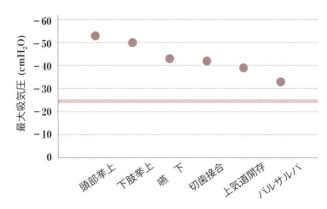

図　各臨床テストが可能な場合の最大吸気圧
ラインは最大吸気圧－25 cmH$_2$Oを示す。
[Pavlin EG, Holle RH, Schoene RB. Recovery of airway protection compared with ventilation in humans after paralysis with curare. Anesthesiology 1989；70：381-5のデータをもとに作成]

て、筋弛緩からの回復評価時のもっとも安全な臨床指標とされたのです。乳幼児でも下肢挙上ができれば、その際の最大吸気圧は−32cmH$_2$Oに相当するそうです[2]。しかし一方で、母指でのTOF（train-of-four）比が0.6を超えると頭部挙上や下肢挙上ができるようになるとの報告[3]もあり、筋弛緩からの至適回復を評価するうえで、臨床所見は全患者に適用できる絶対的指標とはいえません。

そのほかの臨床症状として、複視、追視機能不全などの視覚異常や舌圧子テスト（上下切歯に噛ませた舌圧子を引き抜けるか否か）が、残存筋弛緩を鋭敏に検出できるとされています。視覚異常が認められず、舌圧子が引き抜けないぐらい噛みしめられれば、母指においてTOF比＞0.9が保証されます。ただし、抜管前にこの所見を確認するのは難しそうですし、全身麻酔からの覚醒状態によっては、患者の協力が得られない場合もあり、評価が困難なことも多いと予想されます。さらに小児の場合には、絶対に協力してもらえません。その点を考慮すれば、筋弛緩モニターによるTOF比＝1の客観的評価のほうが、安全で確実であることは疑いようがありません。

それでは実際に軽度の残存筋弛緩時には、呼吸に関する症状以外に、患者はどのような症状を自覚するのでしょうか？ TOF比＜0.9の場合に認められる症状と頻度ですが、全身脱力感が91％、開眼維持困難89％、5秒間頭部挙上困難74％、追視困難63％、視界不良63％、会話困難61％、笑顔が作れない41％、嚥下困難37％、顔面のしびれ感30％、複視26％、5秒間舌突出困難26％と多彩です[4]。残存筋弛緩は呼吸機能障害や誤嚥などといった危機的合併症のみでなく、患者に不快感や不安感を与えるため、麻酔の安全性、患者の満足度を高めるためにも確実に回避しなければならないのです。上記自覚症状をPACU（麻酔後回復室）における患者への質問事項に、ぜひ加えてみてください。

文献

1) Pavlin EG, Holle RH, Schoene RB. Recovery of airway protection compared with ventilation in humans after paralysis with curare. Anesthesiology 1989；70：381-5.
2) Mason LJ, Betts EK. Leg lift and maximum inspiratory force, clinical signs of neuromuscular blockade reversal in neonates and infants. Anesthesiology 1980；52：441-2.
3) Kopman AF, Yee PS, Neuman GG. Relationship of the train-of-four fade ratio to clinical signs and symptoms of residual paralysis in awake volunteers. Anesthesiology 1997；86：765-71.
4) Murphy G, Szokol JW, Avram MJ, et al. Postoperative residual neuromuscular blockade is associated with impaired clinical recovery. Anesth Analg 2013；117：133-41.

ロクロニウム投与後、何分経ったらリバースはいらないの？

A "ロクロニウムは導入時しか使ってないので、リバースは大丈夫だと思います" "最後にロクロニウムを追加投与してから1時間経っているので、もう回復しているはずです" まだ筋弛緩モニターが全手術室に設置できていなかった当時、麻酔からの覚醒時に初期研修医からよく耳にした言葉です。確かにロクロニウムは中時間作用性ですので、教科書的には作用持続時間は1時間程度と記載されていますから無理もありません。実際に覚醒とともに、呼びかけに対する反応も出て、自発呼吸量は増えていますが、抜管して本当に大丈夫でしょうか？ 手を握るなどの臨床症状からは、筋弛緩からの至適回復を評価できないことは前項（Q37 頭部挙上ができれば大丈夫？）で示しましたが、それではロクロニウム投与からの時間経過で、拮抗の必要性を判断できるのでしょうか？ ロクロニウムの作用持続時間が有意に延長する肝硬変などの影響因子がないのであれば、さすがに投与から2時間経過していれば自然回復していそうですが……。

図1は、中時間作用性のロクロニウム、ベクロニウム、アトラクリウムのED₉₅（95％有

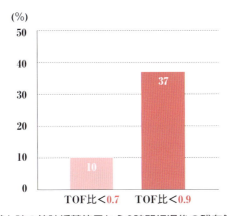

図1 導入時の筋弛緩薬使用から2時間経過後の残存筋弛緩率
[Debaene B, Plaud B, Dilly MP, et al. Residual paralysis in the PACU after a single intubating dose of nondepolarizing muscle relaxant with an intermediate duration of action. Anesthesiology 2003；98：1042-8のデータをもとに作成]

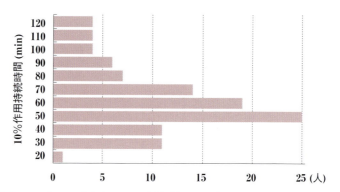

図2 ロクロニウム1mg/kg投与後、T1がコントロールの10％に回復する時間
[鈴木孝浩. 筋弛緩薬の投与量はしっかりとしたモニタリングから―投与量への影響因子を探る―. 日臨麻会誌 2010；30：759-63より転載]

効量）×2倍量、つまりロクロニウムの場合、0.6mg/kgを麻酔導入時にのみ投与したケースでの残存筋弛緩のデータです[1]。対象患者の平均年齢は54歳、維持麻酔はイソフルラン-亜酸化窒素です。手術中は筋弛緩薬を追加投与せず、術後PACU（麻酔後回復室）に移動し、TOFウォッチ®により母指内転筋でTOF（train-of-four）比を測定しました。526名中、45％のケースでTOF比＜0.9が確認されました。驚くべきことに、導入時の筋弛緩薬投与から2時間以上経過していた238名に限っても、37％のケースでTOF比＜0.9を示しました。中時間作用という範疇の筋弛緩薬であっても、回復までに結構な時間を要するのです。元来、筋弛緩薬は個々の症例で、作用のばらつきが非常に大きい薬なのです。図2には、ロクロニウム1mg/kg投与後に、T1がコントロールの10％に回復するまでの作用持続時間を示しています[2]。平均では50分程度ですが、とても広い時間幅にわたることをご理解いただけると思います。TOF比＞0.9となるには、さらに同じくらいの時間を要するわけですから、これらの結果からは、ロクロニウムを導入時しか使用していないとか、2時間経っているとか、時間的経過によって残存筋弛緩を否定するのは難しいといえます。

●文献

1) Debaene B, Plaud B, Dilly MP, et al. Residual paralysis in the PACU after a single intubating dose of nondepolarizing muscle relaxant with an intermediate duration of action. Anesthesiology 2003；98：1042-8.
2) 鈴木孝浩. 筋弛緩薬の投与量はしっかりとしたモニタリングから―投与量への影響因子を探る―. 日臨麻会誌 2010；30：759-63.

抗コリンエステラーゼは、なぜ使われなくなったの？

　ステロイド型筋弛緩薬を包接するスガマデクスの登場により、本邦ではネオスチグミンやエドロホニウムといった抗コリンエステラーゼ薬はほとんど使用されなくなりました。重症筋無力症の治療として、ピリドスチグミンが用いられているぐらいでしょうか？　しかし、スガマデクスでは拮抗できないベンジルイソキノリン系筋弛緩薬を使用している欧米諸国では、いまだ使用されていますので、麻酔科医として本薬の特徴や副作用（表）は知っておかなければなりません。日本のようにベンジルイソキノリン系が使用できない国のほうが、実は珍しいのです。

　抗コリンエステラーゼは、アセチルコリンエステラーゼの作用を一時的に抑制し、シナプス後膜におけるアセチルコリンの分解を阻害し、濃度を高める結果、競合性に非脱分極性筋弛緩薬によるニコチン性アセチルコリン受容体の占拠を解きます。エドロホニウムはシナプス間隙でのアセチルコリン濃度が相対的に高まると競合され、アセチルコリンエステラーゼとの結合は容易に解かれるため作用時間が短く、一方、ネオスチグミンは作用が1～2時間持続します。よって、深い遮断の際にはネオスチグミンのほうが、より強い拮抗

表　スガマデクスと抗コリンエステラーゼの比較

	スガマデクス	抗コリンエステラーゼ
拮抗できる筋弛緩薬	ロクロニウム ベクロニウム	非脱分極薬全般
拮抗時間	1～2分	15分以上
深部遮断拮抗効果	十分	ほぼなし
天井効果	なし	あり
術後残存筋弛緩	ありうる	頻度高い 15～45%
影響因子	循環	麻酔薬／患者病態
脱感作性ブロック	なし	あり
再クラーレ化	ありうる	あり
ムスカリン作用	なし	抗コリン薬併用必須

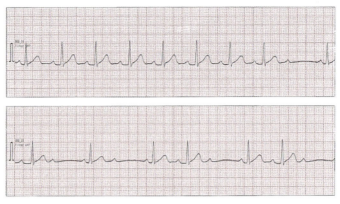

図1　ネオスチグミン投与後のAVブロック

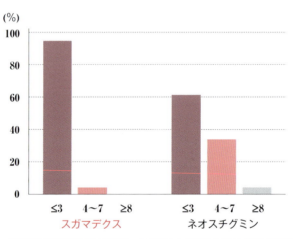

図2　腹腔鏡下肥満外科手術後、PACU入室60分後の術後痛視覚ア
ナログスケール（VAS）の比較
[Castro DS, Leão P, Borges S, et al. Sugammadex reduces post-
operative pain after laparoscopic bariatric surgery : A randomized trial.
Surg Laparosc Endsc Percutan Tech 2014；24：420-3より転載]

　効果を示します。しかし、どちらの薬を用いたとしても、深部遮断時には拮抗ができない
ため、TOF（train-of-four）カウントが4つ得られる程度の中等度遮断まで自然回復を待
たなければなりませんでした。深部遮断時に無理に投薬すると、オープンチャネルブロッ
ク（薬理編 Q6 脱感作性ブロックやオープンチャネルブロックとは、どんなブロック？
の項を参照）を誘発し、余計に作用が延長することも想定されました。天井効果もあり、
ネオスチグミンの場合には0.07mg/kg以上投与しても、さらなる拮抗効果は得られませ
ん。また、非脱分極性筋弛緩から完全に回復した状態で投与すると、逆に脱感作性ブロッ
クを起こす可能性もありました。吸入麻酔薬や筋弛緩作用を有する抗生物質併用時、酸塩
基平衡異常などでは拮抗作用が減弱します。
　それ以外に問題となる副作用として、ムスカリン作用による徐脈性不整脈（図1）、気管

支痙攣、悪心・嘔吐、分泌物亢進などが挙げられます。よってムスカリン効果予防のため、必ず抗コリン薬であるアトロピン（0.01〜0.02 mg/kg）を併用投与する必要がありましたが、アトロピンの副作用である一過性頻脈やせん妄も問題とされました。消化管蠕動亢進により、消化器手術後の痛みにも関与していたことを疑わせるレポートが出されましたが、スガマデクス使用後には胃手術後の術後痛が減少したとの結果です（図2）[1]。

スガマデクスは、抗コリンエステラーゼに認められる不十分な拮抗と副作用を改善できるわけですから、ステロイド型筋弛緩薬しか用いることのできない本邦では、抗コリンエステラーゼはもう必要ないでしょう。しかし、スガマデクスであっても残存筋弛緩や再クラーレ化が起こりうることは忘れてはいけません。

●文献
1) Castro DS, Leão P, Borges S, et al. Sugammadex reduces postoperative pain after laparoscopic bariatric surgery：A randomized trial. Surg Laparosc Endsc Percutan Tech 2014；24：420-3.

Q40 スガマデクスの用量設定の根拠は？

I 薬理編

A　特異的筋弛緩回復薬であるスガマデクスを投与した症例でも、再クラーレ化が起こっています。スガマデクスの用量設定は、有効投与量に基づいた値なのかと疑問を持たれる方もいらっしゃるようです。薬効を比較する場合、有効投与量〔ED_{95}（95％有効量）など〕で表すのが一般的だからです。例えばロクロニウムのED_{95}は0.3 mg／kg、ベクロニウムは0.05 mg／kgですよね。これは非筋弛緩状態にある人に投与した際の力価になりますが、ベクロニウムのほうが6倍強力であると単純に比較ができるわけです。それでは、スガマデクスの有効投与量はいくつでしょう？　実は、ロクロニウムを拮抗するためのスガマデクスの力価を、人で測定した結果はこれまで報告されていませんでした。拮抗薬の場合、当然のこととして筋弛緩深度によって効果が変わってきます。ネオスチグミンは深部遮断時にはまったく拮抗効果を現さず、TOF（train-of-four）カウントが4以降に自然回復すると、やっと拮抗作用が得られます。ですから拮抗薬の場合には、簡単にED_{95}を求められない、表現できないというのが正しいのだと思います。ただスガマデクスの場合には、ロクロニウム分子に1：1で包接する結果、深部遮断でも拮抗作用を発揮しますので、筋弛緩深度に応じた用量反応関係は計測できます。スガマデクスの推奨投与量は、非常に単純な臨床試験結果がベースになっており、母指内転筋のモニタリング下、ロクロニウム筋弛緩からT2回復が確認された時点でスガマデクス0.5、1、2、3、4 mg／kgの各量を投与し、TOF比0.9までの拮抗時間が一定になる2 mg／kg量が、T2回復時およびそれ以降の段階の推奨量とされました（図1）。本来であれば、TOFカウントが4になり、TOF比も計測できる浅い筋弛緩状態であれば、もっと少ない量でもいいはずですが、ここが拮抗薬の用量反応関係の面倒さなのです。安全性を念頭に、T2再出現以降はまとめて2 mg／kgとなっています。ポストテタニックカウントが1〜2の深部遮断時も、同様の方法により4 mg／kgが至適量と決められています（図2）。スガマデクスの投与量が筋弛緩深度に見合わない過少量であった場合、図2のような頻度で再クラーレ化（recurarization）が生じます。この詳細を表に示しましたが、TOF比の回復が途中で、残存筋弛緩から再クラーレ化を起こす場合もあれば、TOF比＞0.9と回復しながらも再ク

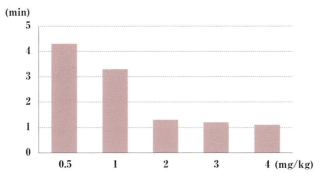

図1　T2回復時のスガマデクスの用量反応関係
[Sorgenfrei IF, Norrid K, Larsen PB, et al. Reversal of rocuronium-induced neuromuscular block by the selective relaxant binding agent sugammadex : A dose-finding and safety study. Anesthesiology 2006 ; 104 : 667-74のデータをもとに作成]

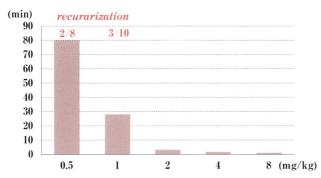

図2　PTC 1〜2回復時のスガマデクスの用量反応関係
[Duvaldestin P, Kuizenga K, Saldien V, et al. A randomized, dose-response study of sugammadex given for the reversal of deep rocuronium- or vecuronium-induced neuromuscular blockade under sevoflurane anesthesia. Anesth Analg 2010 ; 110 : 74-82のデータをもとに作成]

ラーレ化に至ることもあります。再クラーレ化を生じた時間も、拮抗から17〜71分と多様で、とくに長時間経過後に生じた場合には、患者は病棟で危機的状況に陥ることになり、呼吸抑制の原因検索にも手間取る可能性が高いと想定されます。

　スガマデクスの投与量の決定は、あくまで筋弛緩深度を筋弛緩モニタリングで評価することが前提となっていることに注意してください。自発呼吸の出現や患者の自らの体動は、浅い筋弛緩状態を表す指標なのでしょうか？　それは、まったくの誤解です。麻酔法や患者の個体差により、回復症状と実際の筋弛緩深度は乖離します。呼吸しているから2 mg／kgでいいとはならないのです。あくまで尺骨神経−母指内転筋、それ以上言えば（言いすぎでしょうが、モニターによる差もありますので）、先の臨床試験で用いられたTOFウォッチ®SXで計測した筋弛緩状態のみが、スガマデクスの至適量をはじき出せるのです。スガマデクス投与量を決定するには、少なくとも何かしらの筋弛緩モニターを全麻酔

表 PTC 1〜2回復時のスガマデクスの用量反応関係

mg/kg	再クラーレ化発症時		経過	
	TOF比	拮抗後時間	最小TOF比	拮抗後時間
0.5	0.65	4.9分	0.27	17.4分
0.5	0.83	11.5分	0.7	41.3分
1	0.82	8.1分	0.68	32.6分
1	>0.9	3.6分	0.61	37.1分
1	>0.9	7.4分	0.60	71.2分

[Duvaldestin P, Kuizenga K, Saldien V, et al. A randomized, dose-response study of sugammadex given for the reversal of deep rocuronium- or vecuronium-induced neuromuscular blockade under sevoflurane anesthesia. Anesth Analg 2010；110：74-82のデータをもとに作成]

症例に応用する必要があるでしょう。そのためには、安価、簡易、正確な新規モニターの開発が望まれます。

　ちなみにスガマデクスのED_{95}を、TOFカウント1〜2の際にかぎって測定してみました。TOF比回復に要する量は、1.1 mg／kgと算出されました。つまり、モニタリングさえ実施されていれば、スガマデクス2 mg／kg量はED_{95}の約2倍量となり、安全域を保った量であると判断されます。

● 文献

1) Sorgenfrei IF, Norrid K, Larsen PB, et al. Reversal of rocuronium-induced neuromuscular block by the selective relaxant binding agent sugammadex：A dose-finding and safety study. Anesthesiology 2006；104：667-74.
2) Duvaldestin P, Kuizenga K, Saldien V, et al. A randomized, dose-response study of sugammadex given for the reversal of deep rocuronium- or vecuronium-induced neuromuscular blockade under sevoflurane anesthesia. Anesth Analg 2010；110：74-82.
3) Kitajima O, Yamamoto M, Takagi S, et al. Potency estimation of sugammadex for the reversal of moderate rocuronium-induced neuromuscular block：A non-randomized dose-response study. J Anesth 2020；34：348-51.

スガマデクス投与後に、ロクロニウムの血中濃度は上がるの？

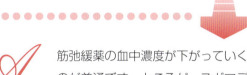

筋弛緩薬の血中濃度が下がっていくにつれて、筋弛緩作用から回復していくのが普通です。ところが、スガマデクスによる拮抗時には、血中ロクロニウム濃度は逆に増加していきます（図）[1]。これは、もちろんスガマデクスに包接されたロクロニウムが増加していますので、濃度増加＝筋弛緩作用増強ではありません。スガマデクスは静脈内投与後、血管内から神経筋接合部へも移行してロクロニウム分子を包接しますが、主には血管内にロクロニウム分子を引き込み、そこで包接することで迅速な筋弛緩回復をもたらすと考えられます。筋弛緩薬の毛細血管と神経筋接合部の移動は、濃度勾配による拡散に基づきますから、血中で包接が進むほどフリーのロクロニウム分子がなくなり、濃度勾配によって神経筋接合部からどんどん血中に拡散されます。これがスガマデクス拮抗後のロクロニウム濃度増加の成因です。血漿中濃度はクロマトグラフィで計測されますが、現在のところロクロニウムとロクロニウム-スガマデクス包接体を分離して、それぞれ

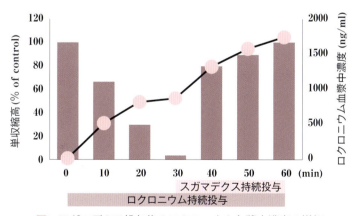

図　スガマデクス投与後のロクロニウム血漿中濃度の増加
縦のバーが単収縮高、●がロクロニウム血漿中濃度を示す。
［Epemolu O, Bom A, Hope F, et al. Reversal of neuromuscular blockade and simultaneous increase in plasma rocuronium concentration after the intravenous infusion of the novel reversal agent Org 25969. Anesthesiology 2003；99：632-7より改変転載］

の濃度を計測することはできないようです。

●文献

1) Epemolu O, Bom A, Hope F, et al. Reversal of neuromuscular blockade and simultaneous increase in plasma rocuronium concentration after the intravenous infusion of the novel reversal agent Org 25969. Anesthesiology 2003 ; 99 : 632-7.

スガマデクスは代謝されるの？

A スガマデクスが代謝されるとなると、ロクロニウムとの包接が解離してしまいますので、患者安全上、確かに心配される質問だと思います。健常成人男性に^{14}Cで標識したスガマデクス4mg/kgを単回静脈内投与し、薬物動態を測定したところ、スガマデクスの尿中排泄は速く、投与から6時間以内の平均排泄量は投与量の73％に上り、その後24時間で92％、48時間で95％が排泄されました（図）[1]。糞便中、呼気中への排泄量は0.02％未満で、ほとんどが代謝されずに腎排泄されることが証明されています。血中有効半減期は110分で、ロクロニウムの約70〜80分と比較して長いので、代謝を受けず、かつロクロニウムより、より長く体内に存在する点で有効性は高い薬物といえます。

本来、ロクロニウムは投与量の70％以上が胆汁中に排泄されますが、スガマデクスに包接された分子は、上記したように腎臓からの尿中排泄となります。それでは尿排泄が行われない腎不全患者で、長期にスガマデクス-ロクロニウム複合体が体内に存在した場合でも、代謝を受けないのでしょうか？　腎不全患者でも拮抗は迅速に可能ですが、拮抗後の複合体の自然排泄がなされないのですから、気になるのは当然です。スガマデクスは代謝

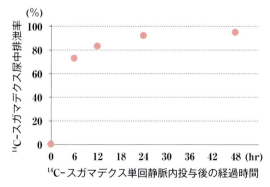

図　スガマデクスの尿中排泄推移

[Peeters P, Passier P, Smeets J, et al. Sugammadex is cleared rapidly and primarily unchanged via renal excretion. Biopharm Drug Dispos 2011；32：159-67のデータをもとに作成]

されないので包接の自然解離はないはずですし、ロクロニウムより結合定数が高い薬物は存在しませんので、ほかの薬剤による包接解離は考慮する必要もなく、再クラーレ化の事例報告もないのですが、長時間体内にロクロニウムが存在することはあまりいい気がしません。腎不全の患者では、スガマデクス自身あるいはロクロニウムとの包接体の排泄は、やはり透析に頼らざるをえないようです。人工透析膜の種類にもよりますが、一般的なhigh-flux膜使用時には1回の透析で70％程度血漿中濃度が減少する[2]ようですので、少数回の透析によって完全に体外に排泄できます。

● 文献

1) Peeters P, Passier P, Smeets J, et al. Sugammadex is cleared rapidly and primarily unchanged via renal excretion. Biopharm Drug Dispos 2011；32：159-67.
2) Cammu G, Van Vlem B, van den Heuvel M, et al. Dialysability of sugammadex and its complex with rocuronium in intensive care patients with severe renal impairment. Br J Anaesth 2012；109：382-90.

スガマデクスの効果に影響する因子はあるの？

筋弛緩薬の効果は患者状態や合併症、麻酔薬や麻酔併用薬などによって影響を受け、容易に作用時間は延長します。抗コリンエステラーゼの場合、拮抗効果はこれらの影響因子の存在下では当然低下しますが、スガマデクスはどうでしょう？作用機序がロクロニウム分子への包接であることを勘案すれば、その分子間の直接結合に影響する因子は多くないことはお分かりのとおりだと思います。例えば、筋弛緩薬に非常に感受性の高い重症筋無力症でも、ロクロニウムの効果自体は迅速に回復を得ることは可能です。Ossermann分類Ⅱbあるいは Ⅲ の重症筋無力症患者を対象にした検討でも、至適量のスガマデクス投与後、平均111秒（幅35～240秒）でTOF（train-of-four）比＞0.9に回復し、全症例で安全に抜管が可能であり、術後呼吸器合併症も認められませんでした[1]。私は重症筋無力症以外にも、ロクロニウムに感受性の高い筋緊張性ジストロフィ[2]や皮膚筋炎[3]、脊髄性筋萎縮症[4]などでのスガマデクスの有効性を実際に目の当たりにして、神経筋疾患患者の麻酔、術後管理法が変遷すること、患者安全が格段に向上することを実感しました。もちろん筋弛緩薬以外の麻酔薬や麻薬などの投与法に注意は必要ですが、スガマデクスが筋弛緩薬の作用を確実に拮抗できる点で、術後に呼吸抑制などの異常が生じた際の原因として筋弛緩薬の影響を除外できることは大きいと思われます。

スガマデクスの効果に多少影響が出ることを留意すべきなのは心拍出量が減少する状態で、拮抗力は十分に発揮されるのですが、至適回復までの時間が若干延長するようです[5]。よって、高齢者（図1）[6]、心不全[7]、腎不全（図2）[8]などの患者では、少し長めに回復状態を観察する必要があります。

吸入麻酔薬もスガマデクスの作用には影響がないようですし、特に子癇発作や不整脈治療として投与されるマグネシウムはカルシウムの作用に拮抗し、神経筋接合部において運動神経末端からのアセチルコリン放出を抑制しますので、ロクロニウムの作用持続時間を有意に延長するのですが、スガマデクスによる回復効果にはまったく影響を与えません（図3）[9]。

それでは、スガマデクスがロクロニウムを包接あるいは静電結合する部分に作用する薬

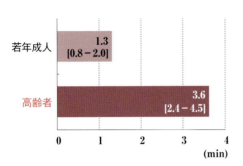

図1 深部遮断からスガマデクス4mg/kgによるTOF比0.9までの回復時間の比較
[Suzuki T, Nameki K, Shimizu H, et al. Efficacy of rocuronium and sugammadex in a patient with dermatomyositis. Br J Anaesth 2012 ; 108 : 703のデータをもとに作成]

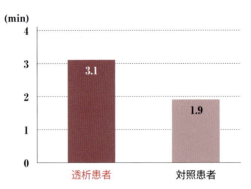

図2 深部遮断からスガマデクス4mg/kgによるTOF比0.9までの回復時間—透析患者と対照での比較—
[Panhuizen IF, Gold SJ, Buerkle C, et al. Efficacy, safety and pharmacokinetics of sugammadex 4 mg kg^{-1} for reversal of deep neuromuscular blockade in patients with severe renal impairment. Br J Anaesth 2015 ; 114 : 777-84のデータをもとに作成]

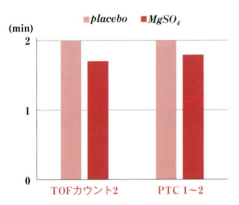

図3 中等度および深部筋弛緩状態からのスガマデクスによるTOF比0.9までの回復時間
60mg/kgのMgSO$_4$併用下でも迅速に回復する。
[Czarnetzki C, Tassonyi E, Lysakowski C, et al. Efficacy of sugammadex for the reversal of moderate and deep rocuronium-induced neuromuscular block in patients pretreated with intravenous magnesium. A randomized controlled trial. Anesthesiology 2014 ; 121 : 59-67のデータをもとに作成]

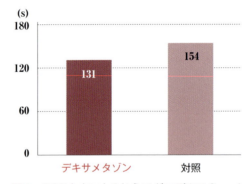

図4 TOFカウント2からスガマデクス2mg/kgによる拮抗時間
デキサメタゾン8mgを拮抗直前に投与しても、対照患者と比較してスガマデクスによる回復時間は延長しない。
[Buonanno P, Laiola A, Palumbo C, et al. Dexamethasone does not inhibit sugammadex reversal after rocuronium-induced neuromuscular block. Anesth Analg 2016 ; 122 : 1826-30のデータをもとに作成]

物はどうでしょう？ スガマデクス発売前に気にされていたのは、ロクロニウムと同様にステロイド核を有する点で、糖質コルチコイドは作用に影響しないのかという点でした。実験的研究では、ロクロニウムとステロイドは分子量が大きく異なり、スガマデクスとロクロニウムの結合度に比較し、スガマデクスとステロイドとの結合度は数百倍以上低率[10]ですので、ステロイドがスガマデクスのロクロニウム包接作用を阻害したり、結合を

解いたりすることはないはずです。しかし最近になり、高濃度のデキサメタゾンがスガマデクスの効果を抑制するとの*in vitro*研究結果[11]が報告されました。個人的には、この結果はあくまで*in vitro*での結果であり、臨床での再現は困難で、安全性に問題はないと判断しています。デキサメタゾンの高いタンパク結合率（約80％）を考慮すると、生体内でスガマデクスの効果を阻害するには臨床使用量をはるかに超える高用量を要すると推察されます。その後、臨床での効果検証がなされていますが、やはり併用投与は問題ないとの結果です（図4）[12)13]。

　当初よりロクロニウムとスガマデクスの包接に影響することが予測される薬物として、抗エストロゲン剤のトレミフェンが挙げられています。結合定数はロクロニウムの30％ほど[10]ですが、スガマデクス投与から6時間空けて投与すべきとのことですので、乳がん術後には念のためご留意ください。

●文献

1) Ulke ZS, Yavru A, Camci E, et al. Rocuronium and sugammadex in patients with myasthenia gravis undergoing thymectomy. Acta Anaesthesiol Scand 2013；57：745-8.
2) Kashiwai A, Suzuki T, Ogawa S. Sensitivity to rocuronium-induced neuromuscular block and reversibility with sugammadex in a patient with myotonic dystrophy. Case Report in Anesthesiology 2012；2012：107952.
3) Suzuki T, Kitajima O, Ueda K, et al. Reversibility of rocuronium-induced profound neuromuscular block with sugammadex in younger and older patients. Br J Anaesth 2011；106：823-6.
4) 山本聡美，山本悠介，近藤裕子ほか．病的肥満を伴う脊髄性筋萎縮症Ⅲ型妊婦におけるロクロニウムとスガマデクスの使用経験．日臨麻会誌 2015；35：311-4.
5) Yoshida F, Suzuki T, Kashiwai A, et al. Correlation between cardiac output and reversibility of rocuronium-induced moderate neuromuscular block with sugammadex. Acta Anaesthesiol Scand 2012；56：83-7.
6) Suzuki T, Nameki K, Shimizu H, et al. Efficacy of rocuronium and sugammadex in a patient with dermatomyositis. Br J Anaesth 2012；108：703.
7) Cammu G, Coart D, De Graeve, et al. Reversal of rocuronium-induced neuromuscular block with sugammadex in heart failure patients：A prospective observational study. Acta Anaesthesiol Belg 2012；63：69-73.
8) Panhuizen IF, Gold SJ, Buerkle C, et al. Efficacy, safety and pharmacokinetics of sugammadex 4 mg kg^{-1} for reversal of deep neuromuscular blockade in patients with severe renal impairment. Br J Anaesth 2015；114：777-84.
9) Czarnetzki C, Tassonyi E, Lysakowski C, et al. Efficacy of sugammadex for the reversal of moderate and deep rocuronium-induced neuromuscular block in patients pretreated with intravenous magnesium. A randomized controlled trial. Anesthesiology 2014；121：59-67.
10) Zwiers A, van den Heuvel M, Smeets J, et al. Assessment of the potential for displacement interactions with sugammadex：A pharmacokinetic-pharmacodynamic modelling approach. Clin Drug Investig 2011；31：101-11.
11) Rezonja K, Sostaric M, Vidmar G, et al. Dexamethasone produces dose-dependent inhibition of sugammadex reversal in in vitro innervated primary human muscle cells. Anesth Analg 2014；118：755-63.
12) Gulec E, Biricik E, Turktan M, et al. The effect of intravenous dexamethasone on sugamadex reversal time in children undergoing adenotonsillectomy. Anesth Analg 2016；122：1147-52.
13) Buonanno P, Laiola A, Palumbo C, et al. Dexamethasone does not inhibit sugammadex reversal after rocuronium-induced neuromuscular block. Anesth Analg 2016；122：1826-30.

スガマデクスには、アナフィラキシー以外の副作用はあるの？

A 機序は分かっていないのですが、スガマデクスが活性化部分トロンボプラスチン時間（activated partial thromboplastin time：APTT）とプロトロンビン時間（prothrombin time：PT）を用量依存性に延長させることが示されています。ただし、その延長は20％程度で、スガマデクス投与から30分以内に回復することから、臨床的に有意な変化ではないと評価されています[1]。実際の手術患者において、術後出血量や血液凝固活性への影響についても調査されています。股関節あるいは膝関節置換術を受ける1,000名を超える患者を対象に、スガマデクス投与群とネオスチグミン投与あるいは自然回復群の2群で比較した結果では、術後24時間以内の出血イベント発生率はスガマデクス群で2.9％、ネオスチグミン・自然回復群で4.1％と有意差はありませんでした。APTTとPTはスガマデクス投与後10分でそれぞれ5.5％、3％とわずかに延長しましたが、それも1時間後には回復しています。輸血必要量、ドレーン出血量、ヘモグロビン値の減少にも有意差は認められていません。つまり、一時的にわずかなAPTTとPTの延長が認められますが、術後出血を助長させるほどの影響ではないようです[2]。

　スガマデクスの臨床での投与量は最大で16mg/kgに設定されていますが、この投与量を超えた大量投与時の安全性について健常成人で調査されています。スガマデクス32、64、96mg/kgあるいはプラセボを無作為に1週間隔で投与した結果、もっとも多く観察された副作用は味覚障害で、金属様の味覚あるいは苦味を感ずるもので、投与3分後までに発現し、数分から最長で4時間持続したそうです。32mg/kg投与時に15％、96mg/kg投与時に67％と用量依存性に発現率が増加したことより、スガマデクスに関わる有害事象と考えられます。そのほか、本薬に関連した事象として悪心3症例、疲労感2症例、めまい2症例、頭痛2症例が認められました。心電図検査では、QTc間隔などに変化は認められていません。薬物動態も、排泄半減期は3～4時間、クリアランスは110ml/min前後で、投与量の90％以上は尿中に排泄されました。以上の結果として、臨床投与量を超えた高用量でも忍容性に問題はないという評価です[3]。

　つまりスガマデクスには、臨床的に有意な副作用は、アナフィラキシー以外は有さない

という結論になります。

● **文献**
1) De Kam PJ, Grobara P, Prohn M, et al. Effects of sugammadex on activated partial thromboplastin time and prothrombin time in healthy subjects. Int J Clin Pharmacol Ther 2014；52：227-36.
2) Rahe-Meyer N, Fennema H, Schulman S, et al. Effect of reversal of neuromuscular blockade with sugammadex versus usual care on bleeding risk in a randomized study of surgical patients. Anesthesiology 2014；121：969-77.
3) Peeters PAM, van den Heuvel MW, van Heumen E, et al. Safety, tolerability and pharmacokinetics of sugammadex using single high doses (up to 96 mg/kg) in healthy adult subjects. A randomized, double-blind, crossover, placebo-controlled, single-centre study. Clin Drug Investig 2010；30：867-74.

ロクロニウムのアナフィラキシーの際、スガマデクスは投与すべき？

I 薬理編

　　全身麻酔中のアナフィラキシーは約1/3,000〜20,000件の頻度で発生し、原因として筋弛緩薬が上位を占めています（図1)[1]。頻度としては、スキサメトニウムとロクロニウムが高く、ベンジルイソキノリン系は少ないようです。ただしロクロニウムに関しては、使用頻度が高いことで発症頻度も高くなっている可能性は否めません。抗原は筋弛緩薬分子内の4級アンモニウム部分と推定されていますので、基本的に1剤にアレルギーがあれば、多剤で交差反応する可能性が高くなります。4級アンモニウムはアセチルコリン受容体に結合する部分でもあり、筋弛緩薬という構造上、除くことはできません。筋弛緩薬は、かぜ薬や化粧品などの成分との交差性もあり、麻酔前にすでに感作されている可能性も高いと考えられます。

　抗原抗体反応が生じた場合、肥満細胞や好塩基球よりケミカルメディエータが大量に放出され、低血圧や気管支痙攣が生じます（図2）。スガマデクスがロクロニウムによるアナフィラキシーを防ぎ止めるには、ロクロニウムが抗体に結合できないようにするしかありません。いったん放出されたケミカルメディエータにはスガマデクスは作用しませんの

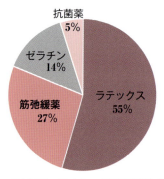

図1 アナフィラキシー発症要因と頻度
[Malinovsky JM, Decagny S, Wessel F, et al. Systematic follow-up increases incidence of anaphylaxis during adverse reactions in anesthetized patients. Acta Anaesthesiol Scand 2008 ; 52 : 175-81のデータをもとに作成]

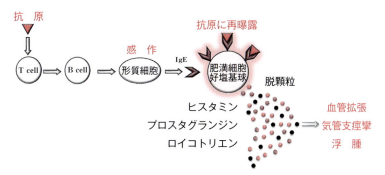

図2　感作と抗原への再曝露によるケミカルメディエータの放出

で、本来であればショックが生じたあとにスガマデクスを投与しても、ショック解除に奏効するとは考えにくいのですが……。しかし、ショックから脱するのに効果があったとする報告も散見されますので、アドレナリンなどの処置が奏効しない場合には、スガマデクスの投与も検討すべきでしょう。ただし、気管支痙攣の生じている状態で自発呼吸を回復させることは、コンプライアンスを悪化させ、呼吸管理をさらに困難にする可能性もあることも含め、スガマデクスの投与は慎重に検討すべきでしょう。一方、アナフィラキシーショック後には二相性ショックにも留意が必要ですが、ロクロニウムを包接し、6時間以内に投与量の70％以上の分子を尿中排泄できるスガマデクスは、二相性ショックの予防には有効となるでしょう。

　スガマデクスのアナフィラキシー症例も報告されてきていますが、日本麻酔科学会に定期的に報告されているMSD社調査結果によると、発症頻度は10万人あたり2.5症例となっています。興味あることに、ロクロニウムとスガマデクスの包接体が抗原となったケースが報告されました[2]。このケースはスガマデクス投与後にショックとなっているのですが、皮内テストではロクロニウムやスガマデクス単体では陰性で、ロクロニウム-スガマデクス混合液でのみ陽性となっています。今後、アナフィラキシーが疑われたケースで皮膚テストを実施する際には、混合液のチェックも必要と考えられます。

　話は変わりますが、筋弛緩薬のアレルギーは患者に起こるのみでなく、使用している麻酔科医にも起こりうることを知っておきましょう！　報告された症例（麻酔科医）は、アトピー、気管支喘息、花粉症の既往がある30歳、男性で、4年目の麻酔専修医です[3]。スキサメトニウムをシリンジに吸引している際、薬液を数滴腕に垂らしてしまった5分後、温感と顔面瘙痒感が発現し、続いて顔面の紅斑性発疹、流涙、口唇と舌の浮腫、喉の絞扼感に進展しました。幸運なことに血圧は正常であり、15分後には治療を要せず症状は軽快しました。アレルギー反応から3日後に皮内テストが施行されましたが、やはりスキサメトニウムにより全身の紅斑性発疹、低血圧、頻脈、経皮酸素飽和度の低下が認められ、プロメタジン投与により軽快したようです。4週後さらにロクロニウム、ベクロニウム、パン

クロニウムの皮内テストでも陽性を示しました。本麻酔科医の場合、職場での薬物曝露による感作が疑われますので、患者のみでなく、筋弛緩薬に触れる機会の多い麻酔科医もアレルギー反応に注意が必要です。

　もう一つ、知っておきたいアナフィラキシーに関連する内容です。筋弛緩薬に起因したKounis syndromeについてです。Kounis syndromeとは、アレルギー反応により放出されたヒスタミンにより二次的に誘発される冠動脈スパズムなどの急性冠症候群を意味します。アナフィラキシー反応としての低血圧に加え、心電図上ST変化が認められます。筋弛緩薬に対するアナフィラキシー反応時に本症候群を呈することもありますので、麻酔科医は本症候群の存在は知っておくべきでしょう。この症候群に対するスガマデクスの効果については不明です。

● 文献

1) Malinovsky JM, Decagny S, Wessel F, et al. Systematic follow-up increases incidence of anaphylaxis during adverse reactions in anesthetized patients. Acta Anaesthesiol Scand 2008；52：175-81.
2) Ho G, Clarke RC, Sadleir PHM, et al. The first case report of anaphylaxis caused by the inclusion complex of rocuronium and sugammadex. A A Case Reports 2016；7：190-2.
3) Neuman MJ, Goel P. An anesthesiologist with an allergy to multiple neuromuscular blocking drugs：A new occupational hazard. Anesth Analg 2010；110：601-2.

Q46 麻酔導入時のアナフィラキシーで手術中止——さて、その後はどうする？

A 各施設で麻酔時のアナフィラキシーをご経験されていると思います。ショックから辛うじて回復したのち、外科医と相談のうえ、予定手術であれば延期とするのが通常の対応と思われます。手術の内容にもよりますが、早々に再手術を計画しなければなりません。どうしましょう？　まずはこのアクシデント後、いつごろ手術を予定するかです。次の麻酔を安全に計画するには、なんとしてもアレルゲンを特定する必要があります。そのためには、被疑薬を用いた皮膚テストが必要です。この皮膚テストを正確に行うには、アナフィラキシー発症からの期間が重要になります。アナフィラキシーは、抗原が好塩基球や肥満細胞上の特異的IgE抗体に結合することで、細胞からのケミカルメディエータの脱顆粒を誘発し、ショック、気管支痙攣などを発症させます。このケミカルメディエータの細胞内補充には4～6週間を要しますので、手術の目的が良性疾患で待機可能であれば、この期間を考慮して手術を予定しましょう。皮膚テストは皮膚科の先生にお願いしてもよいのですが、アナフィラキシーの再発を起こす危険性があり、蘇生のできる準備が必要と判断されますので、私どもの施設では麻酔科医が手術室で実施しています。それも再度予定された手術日に、全身麻酔の前に施行しています。偽陰性になることのないよう確実に反応を得るために、プリックテストよりも皮内テストを選択しています。その際の薬液濃度が重要になりますが、一般的な麻酔薬は10倍希釈とし、ロクロニウム、スガマデクス、スキサメトニウム、モルヒネは他薬よりもさらに希釈する必要があります（表）。抗菌薬はいつも投与しているように、100 ml で希釈します。前回投与した薬物に加え、再手術時に投与を予定している薬物もテストしましょう。薬液を0.02～0.05 ml、4 cm以上離して前腕掌側に皮内注射し、＜4 mmの丘疹を作ります。20分後、膨疹径が＞8 mmであれば陽性と判定します。図に示したケースでは、抗菌薬で陽性となりました。2017年に発表されたオーストラリアおよびニュージーランド麻酔アレルギーグループの周術期アナフィラキシーガイドラインは、手技の詳細や推奨薬液濃度などが明記されていて参考になりますので、施行前にご一読されたらよいかと思います。

では、ロクロニウムがアレルゲンだった場合、どうしましょう？　筋弛緩薬の場合、4級

表　当科で施行している皮膚テスト時の薬液濃度

	プリックテスト	皮内テスト
ロクロニウム	10 mg/ml	0.05 mg/ml
スガマデクス	100 mg/ml	0.5 mg/ml
スキサメトニウム	10 mg/ml	0.1 mg/ml
プロポフォール	10 mg/ml	1 mg/ml
チオペンタール	25 mg/ml	2.5 mg/ml
ミダゾラム	5 mg/ml	0.5 mg/ml
モルヒネ	1 mg/ml	0.01 mg/ml
フェンタニル	0.05 mg/ml	0.005 mg/ml
レミフェンタニル	0.1 mg/ml	0.01 mg/ml
リドカイン	10 mg/ml	1 mg/ml
ロピバカイン	2 mg/ml	0.2 mg/ml

プリックテストは基本的に原液濃度でよいが、ヒスタミン遊離の強いモルヒネ、スキサメトニウムは希釈して用いる。皮内テスト時には原液の10倍希釈液を用いるが、ロクロニウム、スガマデクスは200倍希釈としている。

図　抗菌薬で陽性となった皮内テスト例
F：フェンタニル、C：コントロール、RF：レミフェンタニル、Rb：ロクロニウム、L：リドカイン、RbSg：ロクロニウム-スガマデクス、Rp：ロピバカイン、Sg：スガマデクス、Sc：スキサメトニウム、B：ブピバカイン、P：プロポフォール

アンモニウム部分が抗原になるといわれています。この部分はすべての筋弛緩薬が有する構造（4級アンモニア部がアセチルコリン受容体に結合）ですので、アナフィラキシーに関してはどの筋弛緩薬を用いても交差反応性を示す可能性が高いことを念頭に置かなくてはなりません。ロクロニウムの場合、交差性は70％以上あると推測されます。ベクロニウムやスキサメトニウムの皮内テストを同時に行い、陰性の結果が得られたとしても、偽陰性の可能性は拭いきれません。危機的状況でないかぎり、まずは筋弛緩薬を投与しない麻酔計画をお勧めします。下腹部や下肢手術であれば、硬膜外麻酔、脊髄くも膜下麻酔などで

の管理が適しているでしょう。全身麻酔が必要な場合はどうでしょう？　声門上器具での呼吸管理とし、ロクロニウムを投与しない麻酔が選択されます。気管挿管が必要な場合には、静脈麻酔薬、麻薬、吸入麻酔薬、局所麻酔薬を上手に使い、麻酔深度を十分にして気管挿管するしかありません。手術に必要な筋弛緩状態は、やはり区域麻酔で得るようにしましょう。

残存筋弛緩は、患者安全をどのように損なうの？

I 薬理編

A 術後残存筋弛緩の頻度は、パンクロニウムなどの長時間作用性筋弛緩薬使用後に高いのですが、これまでの報告を総合すると、実はロクロニウムなどの中時間作用薬使用後にも15〜45％と高率に発生しています。この残存筋弛緩は、ネオスチグミンなどの抗コリンエステラーゼを投与していても予防できませんでした。残存筋弛緩の程度にもよりますが、術後の呼吸器合併症につながりうるのは当然のことでしょう。母指内転筋における四連反応比が0.5〜0.8と部分遮断にある場合、上気道スペースの維持に大きく関与する筋であるオトガイ舌筋の収縮能が抑制され、舌根沈下による上気道閉塞が生じやすくなります[1]。上気道が閉塞していれば十分な吸気量が得られず、すぐに低酸素血症、高二酸化炭素血症を招くことになります。実際TOF（train-of-four）比＜0.9の場合、抜管後に下顎挙上やエアウェイ挿入、再挿管といった気道補助を要した症例が21％にも上ったとの報告[2]もあります。上気道閉塞の際に呼吸筋弛緩除外効果（respiratory sparing effect）により筋弛緩薬への感受性が異なる横隔膜（図1）が、すでに神経筋機能が十分に回復し、フル活動したらどうなるでしょう？　おそらく陰圧性肺水腫を招いてしまうことになるでしょう。

　残存筋弛緩は、筋弛緩薬に感受性の高い尺骨神経TOF刺激時の母指内転筋反応において、TOF比＜0.9と定義されています。正確にはモニタリングの種類によっても異なり、加速度マイオグラムで評価する場合にはTOF比＜1.0とすべきでしょう。確かに、古い基

図1　各筋の非脱分極性筋弛緩薬への感受性差

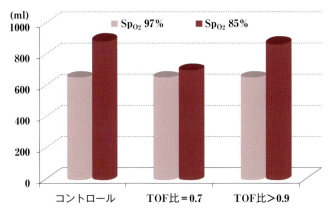

図2 低酸素負荷時の1回換気量変化

[Eriksson LI, Lennmarken C, Johnson A. Attenuated ventilatory response to hypoxaemia at vecuronium-induced partial neuromuscular block. Acta Anaesthesiol Scand 1992；36：710-5のデータをもとに作成]

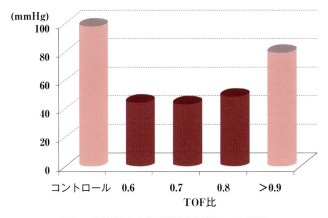

図3 筋弛緩の上部食道括約筋圧への影響

[Eriksson LI, Sundman E, Olsson R, et al. Functional assessment of the pharynx at rest and during swallowing in partially paralyzed humans：Simultaneous videomanometry and mechanomyography of awake human volunteers. Anesthesiology 1997；87：1035-43のデータをもとに作成]

準であるTOF比＞0.7に回復すると、十分な開眼と咳、舌の突出、5秒間の頭部挙上が可能になり、1回換気量や吸気圧の正常化、努力肺活量＞15〜20ml/kgが得られますが、＞0.9という値は、さらに低酸素状態となった際に換気量が増加するという換気応答の正常化（図2）を目指しています[3]。また、上部食道括約筋の安静時張力はTOF比＜0.8の状態では、まだ対照値の50％以下と有意に低圧で、胃液の咽頭への逆流を生じやすくなりますし、嚥下する際、通常は上部食道括約筋の弛緩後、十分な時間をおいてから咽頭括約筋が収縮し始めますが、部分遮断時にはそのタイミングが早まり、喉頭への誤流入が認められるように

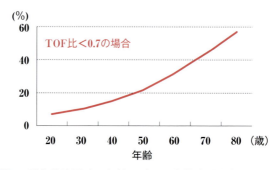

図4 残存筋弛緩時の年齢と呼吸器合併症発症率との関係
腹部手術後、高齢者ほど残存筋弛緩により呼吸器合併症が起こりやすい。
[Berg H, Roed J, Viby-Mogensen J, et al. Residual neuromuscular block is a risk factor for postoperative pulmonary complications. A prospective, randomised, and blinded study of postoperative pulmonary complications after atracurium, vecuronium and pancuronium. Acta Anaesthesiol Scand 1997；41：1095-103 より改変転載]

なります。＞0.9であれば咽頭食道括約筋の協調運動が正常に回復し、誤嚥を予防できるようになります（図3）[4]。さらに＞0.9となることで、複視、視覚障害、顔面筋力低下、全身脱力感など患者が不快を感ずる臨床症状も消失します[5]。特に高齢者の場合には要注意で、術後残存筋弛緩がある場合、加齢とともに呼吸器合併症の発症率が増加してしまいます（図4）[6]ので、客観的な評価数値としてTOF比＞0.9あるいは1.0と厳密化することで、患者安全は格段に向上するのです。

●文献

1) Eikermann M, Vogt FM, Herbstreit F, et al. The predisposition to inspiratory upper airway collapse during partial neuromuscular blockade. Am J Respir Crit Care Med 2007；175：9-15.
2) Yip PC, Hannam JA, Cameron AJD, et al. Incidence of residual neuromuscular blockade in a post-anaesthetic care unit. Anaesth Intensive Care 2010；38：91-5.
3) Eriksson LI, Lennmarken C, Johnson A. Attenuated ventilatory response to hypoxaemia at vecuronium-induced partial neuromuscular block. Acta Anaesthesiol Scand 1992；36：710-5.
4) Eriksson LI, Sundman E, Olsson R, et al. Functional assessment of the pharynx at rest and during swallowing in partially paralyzed humans：Simultaneous videomanometry and mechanomyography of awake human volunteers. Anesthesiology 1997；87：1035-43.
5) Murphy G, Szokol JW, Avram MJ, et al. Postoperative residual neuromuscular blockade is associated with impaired clinical recovery. Anesth Analg 2013；117：133-41.
6) Berg H, Roed J, Viby-Mogensen J, et al. Residual neuromuscular block is a risk factor for postoperative pulmonary complications. A prospective, randomised, and blinded study of postoperative pulmonary complications after atracurium, vecuronium and pancuronium. Acta Anaesthesiol Scand 1997；41：1095-103.

呼吸筋の筋弛緩からの回復＝安全な呼吸回復じゃないの？

　もちろん横隔膜や肋間筋などの呼吸筋に筋弛緩作用が及べば、呼吸力は減弱します。筋弛緩からの回復時、呼吸筋は母指などの末梢筋よりは早くに回復してきますので、母指でTOF（train-of-four）比0.7を超えれば、肺活量や吸気圧は正常化します。以前はこの呼吸力が正常化する時期、つまりはTOF比＞0.7を筋弛緩からの至適回復と定義していました。しかし、呼吸筋活動は正常に復しても、そのほかの重要な機能が回復しておらず、患者を安全に手術室から退出させるにはTOF比＞0.9が必要ということになっています（モニター編 Q80 TOF比＞0.7が、至適回復のgold standardだったはず？　の項を参照）。

　横隔膜や肋間筋などによる呼吸のパワー以外に、筋弛緩薬が呼吸機能に関与するところはあるのでしょうか？　上気道を形成する筋群は非脱分極性筋弛緩薬に感受性が高いため、軽度の残存筋弛緩状態でも上気道閉塞は起こりえます。横隔膜は力強く収縮し、一所懸命吸おうとしているにもかかわらず、上気道閉塞が生じたらどうなるでしょう？　胸腔内は強い陰圧となり、陰圧性肺水腫が生じる危険がありますよね。

　筋弛緩薬は、また別の意味でも換気に影響します。皆さんご存知のように、低酸素性および高二酸化炭素性換気応答は、抜管後の異常な呼吸状態をバックアップする非常に重要な反射ですよね。動脈内の低酸素あるいは高二酸化炭素を頸動脈体が感知すると、おそらくアセチルコリンと神経型のアセチルコリン受容体が化学的伝達により、舌咽神経を介して脳幹呼吸中枢が刺激され、呼吸量を増大させます（図1）。筋弛緩効果が軽度残存してい

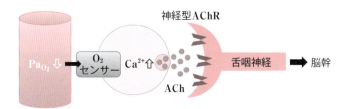

図1　頸動脈体での低酸素応答（推測図）
AChR：アセチルコリン受容体、ACh：アセチルコリン

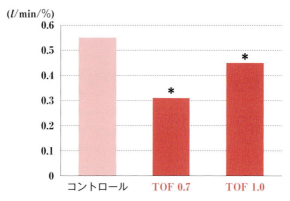

図2　低酸素性換気増大量の比較
残存筋弛緩時に有意に低値となるが、筋弛緩からの回復後にも機能異常が残る点に注意。
[Broens SJL, Boon M, Martini CH, et al. Reversal of partial neuromuscular block and the ventilator response to hypoxia. Anesthesiology 2019；131：467-76のデータをもとに作成]

る状態では、とくに低酸素性の換気量変化が阻害され、この機能異常は母指内転筋のTOF比が0.9に回復しないと消失しないことがこれまで報告されてきました。新たな報告によると、このTOF比0.9でも怪しいぞということになっています。健常ボランティアでロクロニウムによりTOF比0.7に維持した際に加え、自然回復、ネオスチグミンあるいはスガマデクスによる拮抗後にTOF比1に回復した際の低酸素性（Sp_{O_2}＝80％）および高二酸化炭素性（E_{TCO_2}＝55 Torr）換気変化を調べたところ、低酸素曝露時、通常ではSp_{O_2} 1％減あたり分時換気量は0.55 l増大するのに対し、部分筋弛緩時には0.31 lと有意に低値で、さらにはTOF比1に回復した時点でも0.45 lと完全には回復していなかったのです（図2）[1]。自然回復であろうが、ネオスチグミンあるいはスガマデクスによる回復であろうが、低酸素負荷時の換気増大率には有意差はありません。一方、通常では強く働く高二酸化炭素性換気応答には、筋弛緩の影響は少ないようです。低酸素性換気応答異常は筋弛緩薬投与後のみでなく、ほかの麻酔薬によっても抑制されることが分かっているため、麻酔薬の効果的な排泄を促すとともに、最低限TOF比の回復を評価したうえで、術後の換気状態を怠らずに監視しなければならないのです。

●文献

1) Broens SJL, Boon M, Martini CH, et al. Reversal of partial neuromuscular block and the ventilator response to hypoxia. Anesthesiology 2019；131：467-76.

スガマデクスは、残存筋弛緩を回避できるの？

抗コリンエステラーゼによる拮抗は確実に回復効果が得られるものではなく、投与の際の筋弛緩状態に大いに影響されました。例えば、深部遮断からの拮抗では、自然回復と比較して回復時間は短縮しません（図1）[1]。逆にオープンチャネルブロックを招き、さらに筋弛緩作用が遷延する可能性も指摘されていました。TOF（train-of-four）カウントが4となった中等度筋弛緩時に投与することで拮抗効果が顕在化するものの、至適拮抗には20分程度を要していました。この間、患者は覚醒しているにもかかわらず、力が入らない状態を強いられ、深呼吸を指示されてもできない時間に耐えていたのです。たとえネオスチグミンで拮抗しても、かつ麻酔科医が安全と評価し抜管しても、麻酔後回復室（PACU）入室時には高率に筋弛緩が残存していたわけですから、麻酔維持期にはあまり深部遮断にしてはいけないとか、筋弛緩薬を追加投与する場合にはTOFカウントの再出現を確認してからにしなさいとか、筋弛緩モニタリングのない状態で拮抗する場合には自発呼吸の発現を待ちなさいといった教育を受けていたのです。手術後半、特に閉腹の際に筋弛緩薬を追加投与することは、早期抜管が望めないことを意味し

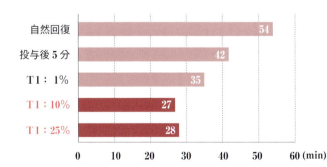

図1 ロクロニウム0.6mg投与からTOF比0.9までの回復時間の比較
　自然回復と比べ、ネオスチグミンをロクロニウム投与5分後あるいはT1がコントロールの1％に回復した時点で投与しても、回復時間は有意に速くならない。T1が10％以上に回復して、初めて拮抗効果が現れる。
　[Bevan JC, Collins L, Fowler C, et al. Early and late reversal of rocuronium and vecuronium with neostigmine in adults and children. Anesth Analg 1999 ; 89 : 333-9のデータをもとに作成]

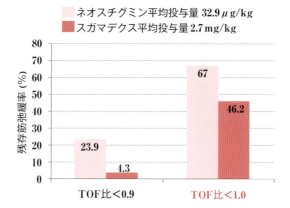

図2 ネオスチグミン、スガマデクス投与後の残存筋弛緩発生率
[Kotake Y, Ochiai R, Suzuki T, et al. Reversal with sugammadex in the absence of monitoring did not preclude residual neuromuscular block. Anesth Analg 2013 ; 117 : 345-51のデータをもとに作成]

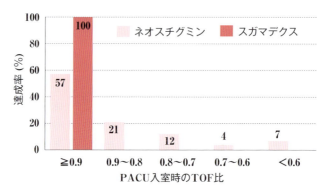

図3 筋弛緩モニタリングにより至適投与量のスガマデクスを投与すれば残存筋弛緩をなくせる
[Brueckmann B, Sasaki N, Grobara P, et al. Effects of sugammadex on incidence of postoperative residual neuromuscular blockade : A randomized, controlled study. Br J Anaesth 2015 ; 115 : 743-51のデータをもとに作成]

たため、若手麻酔科医は外科医にお腹が硬いと指摘されても十分に投与できなかったり、投与すれば指導医になぜこの時点で投与したのかと怒られたりと、筋弛緩薬の投与タイミングに関しては非常にストレスを感じたものでした。私はこのストレス回避のために、なるべく筋弛緩モニターを使って評価し、無用の投与を強いる外科医と戦える準備をしていたように思います。

　スガマデクスはステロイド型筋弛緩薬を直接的に包接する点で、迅速で確実な拮抗効果をもたらします。よって麻酔終了時に1バイアル投与すれば、神経筋機能は十分に回復するだろうし、モニタリングする必要もなくなるだろうと、スガマデクス発売当初は想像されていたと思います。しかし、いくらepoch-makingな薬であっても、正しく使って、その効果を見届けてあげないかぎりは、下手をするとネオスチグミンにも劣る結果、つまり

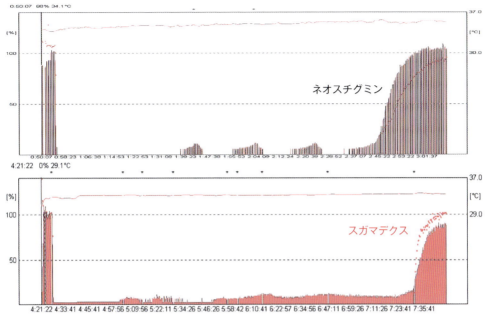

図4　ネオスチグミンとスガマデクスによる拮抗反応の違い（自験データ）

図5　TOF比の先行回復率（自験データ）
TOF比がT1に先んじて回復する例は85％にも上り、それらのケースではTOF比は2分程度で回復するが、T1回復には平均5分を要する。

は残存筋弛緩や再クラーレ化をもたらす危険性もあるのです。拮抗薬の投与量を麻酔科医が決めて投与し、かつ麻酔科医の判断で抜管した直後に、TOFウォッチ®で母指内転筋反応を評価した研究では、スガマデクスを投与していたとしても残存筋弛緩が高率に生じていました（図2)[2]。モニターを用いてスガマデクスの至適投与量を決定することが、至適回復には最低限必要となるのです（図3)[3]。

　もう一つ、スガマデクスによる拮抗時に、皆さんに知っておいていただきたい注意点があります。筋弛緩からの至適回復の指標としてTOF比＞0.9が用いられ、TOFウォッチ®

の場合にはTOF比1.0を基準にしましょうと別項（薬理編Q47残存筋弛緩は、患者安全をどのように損なうの？／モニター編Q80 TOF比＞0.7が、至適回復のgold standardだったはず？）にも解説しました。筋弛緩からの自然回復時やネオスチグミンによる拮抗後には、終板機能を表すT1が先に回復し、遅れて神経終末機能を表すTOF比が回復してくるため、TOF比0.9は回復のgold standardとして評価されてきました。しかし、スガマデクス投与後の回復時には、T1とTOF比の回復順位が逆転することが多いため（図4）、TOF比0.9という指標が安全に機能しない可能性があるのです。つまり、TOF比回復後も数分は抜管せず、患者状態を観察する必要があるということになります（図5）。スガマデクスによる回復時には、TOF比のみでなくT1値の計測も考慮されるべきなのですが、T1の正確な測定は臨床では容易ではなく、現在のところはTOF比≧1.0＋数分の患者観察で安全を担保するしかありません。

● 文献
1) Bevan JC, Collins L, Fowler C, et al. Early and late reversal of rocuronium and vecuronium with neostigmine in adults and children. Anesth Analg 1999；89：333-9.
2) Kotake Y, Ochiai R, Suzuki T, et al. Reversal with sugammadex in the absence of monitoring did not preclude residual neuromuscular block. Anesth Analg 2013；117：345-51.
3) Brueckmann B, Sasaki N, Grobara P, et al. Effects of sugammadex on incidence of postoperative residual neuromuscular blockade：A randomized, controlled study. Br J Anaesth 2015；115：743-51.

ネオスチグミンとスガマデクスの併用で、再クラーレ化を防げるの？

　機序の異なる拮抗薬を併せて使えば、拮抗作用が相加的に生じるはずという考えでしょうか？　スガマデクスの用量を減らすことで、医療保険への負担を減らそうという意識は理解できますが、別項（薬理編 **Q6** 脱感作性ブロックやオープンチャネルブロックとは、どんなブロック？　の項を参照）にも記したように、むしろ奇異的な筋弛緩の増強を招き、患者安全を損なう危険性が懸念されます。それでは、併用はなぜ危険なのでしょう？　まず、ネオスチグミンやエドロホニウムなどの抗コリンエステラーゼ薬の筋弛緩拮抗のメカニズムを考えてみましょう。アセチルコリンエステラーゼは、神経筋接合部内の基底膜に存在し（図1）、神経終末から放出されたアセチルコリンを急速に加水分解します。通常は、それを逃れたアセチルコリンが終板のアセチルコリン受容体に結合し、終板電位、ひいては筋収縮をもたらします。筋弛緩拮抗薬である抗コリン

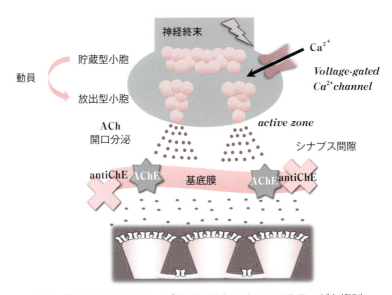

図1　抗コリンエステラーゼはアセチルコリンエステラーゼを抑制
ACh：アセチルコリン、antiChE：抗コリンエステラーゼ、AChE：アセチルコリンエステラーゼ

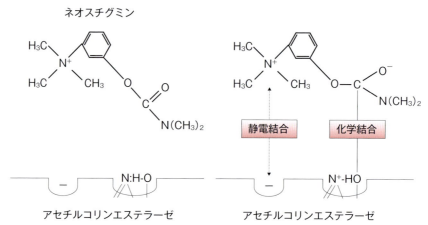

図2 抗コリンエステラーゼとアセチルコリンエステラーゼの結合様式

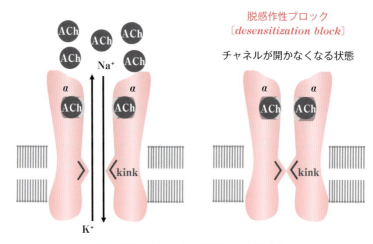

図3 アセチルコリン過剰による脱感作
ACh：アセチルコリン

エステラーゼは、図2のように陽荷電部位（N^+）でアセチルコリンエステラーゼと静電結合するのと同時に、エステル部位では化学結合するため、総じて結合力が強度となり、作用時間は1時間以上に及びます。アセチルコリンエステラーゼを阻害することで、シナプス間隙におけるアセチルコリン濃度を高め、終板のアセチルコリン受容体を非脱分極性筋弛緩薬との間で競合的に拮抗し、アセチルコリンと非脱分極性筋弛緩薬で濃度が高いほうが受容体により多く結合することになります。加えて、抗コリンエステラーゼは神経終末からのアセチルコリンの放出を促す作用もあり、神経筋接合部内のアセチルコリン濃度を有効に高めることができます。それでは、スガマデクスによりロクロニウムが包接され、アセチルコリン受容体のほとんどがフリーの状態になっているとします。そこにネオスチグミンが作用したらどうでしょう？　アセチルコリンがシナプス間隙で過剰となり、連続

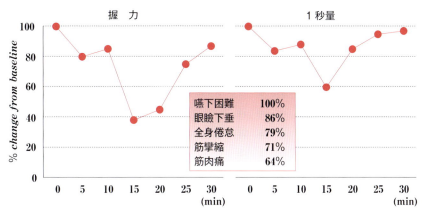

図4 ネオスチグミン投与後の症状変化
[Kent NB, Liang SS, Phillips S, et al. Therapeutic doses of neostigmine, depolarizing neuromuscular blockade and muscle weakness in awake volunteers: A double-blind, placebo-controlled, randomised volunteer study. Anaesthesia 2018;73:1079-89のデータをもとに作成]

的にアセチルコリン受容体に結合することで、おそらくスキサメトニウムを投与したときのように筋線維束攣縮を起こし、脱分極性遮断を生じるとともに、受容体は脱感作状態に陥ることが予測されます（図3）。ボランティアにネオスチグミンを投与すると、握力は20％、1秒量は15％程度減少し、嚥下困難、眼瞼下垂や全身倦怠などの筋弛緩症状が高率に発現します（図4）[1]。また、ロクロニウム投与からTOF (train-of-four) カウント2に回復した段階で、ネオスチグミン50μg/kgを単独投与、スガマデクス2mg/kgを単独投与あるいはネオスチグミン50μg/kg投与3分後にスガマデクス2mg/kgを併用投与し、自発呼吸再開後の横隔膜の筋電図活動を評価したところ、スガマデクス投与群に比較して、ネオスチグミン＋スガマデクス投与群では筋活動電位が有意に低値という結果が得られています[2]。末梢筋だけでなく、呼吸筋でも奇異的な神経筋抑制が生じるのです。以上のことから、抗コリンエステラーゼとスガマデクスを併用投与すると、逆に神経筋遮断を起こす危険性が高くなりますので、併用投与は禁忌とすべきです。

● 文献

1) Kent NB, Liang SS, Phillips S, et al. Therapeutic doses of neostigmine, depolarizing neuromuscular blockade and muscle weakness in awake volunteers: A double-blind, placebo-controlled, randomised volunteer study. Anaesthesia 2018;73:1079-89.
2) Cammu G, Schepens T, De Neve N, et al. Diaphragmatic and intercostal electromyographic activity during neostigmine, sugammadex and neostigmine-sugammadex-enhanced recovery after neuromuscular blockade. A randomized controlled volunteer study. Eur J Anaesthesiol 2017;34:8-15.

Q51 重症筋無力症患者には、スガマデクスは通常量でいいの？

I 薬理編

A 重症筋無力症（myasthenia gravis：MG）は自己免疫疾患であり、終板のアセチルコリン受容体に対する自己抗体（発現率80％以上）によりアセチルコリン受容体数が著減しているため、神経筋刺激伝達が十分になされない疾患です。一部、数％の症例では、筋特異的受容体型チロシンキナーゼ抗体が原因となっており、終板のみでなく、シナプス前の神経終末側にも障害をもたらすようです。アセチルコリン受容体が少ないぶん、非脱分極性筋弛緩薬には非常に感受性が高く、少量でも強く効き、作用持続時間が延長します。この作用時間の遷延は、あくまで薬力学的因子の問題であり、クリアランスなど筋弛緩薬の薬物動態学的パラメータには異常はありません。受容体抗体価が高いほど、非脱分極薬の必要量は減少しますので、重症症例ほどロクロニウムの投与量を減らす必要があります。胸腺摘出術を受けられる安定した全身状態であれば、もちろん筋弛緩モニタリング下で評価すべきですが、ロクロニウムの投与量はまずは通常の1/5程度のドーズを、反応を見ながら累積投与すべきでしょう。

　それでは、MGの患者が腸管穿孔で緊急手術になったとします。フルストマックで迅速気管挿管を要する場合、ロクロニウムの投与量をどうしますか？　意識下挿管も選択肢となりますが、ロクロニウムを投与する場合、投与量は麻酔科医により判断が異なるでしょう。私であれば、筋弛緩遷延よりも誤嚥のほうが患者安全を損ねると考え、0.9mg/kg以上の量を投与すると思います。スキサメトニウムでは脱分極性遮断が生じにくかったり、逆に脱感作性ブロックとなり作用が延長したり、フェーズ2ブロックになり非脱分極性遮断に作用が相似したりと、反応が一定しないので使用しないほうがいいでしょう。

　さて本題ですが、MGはロクロニウムが非常に効きやすい状態ですので、筋弛緩から回復させるためにはスガマデクスをより多く投与すべきとの考え方も理解できます。しかし、ロクロニウムとスガマデクスは、1：1で包接することを思い出してみてください。MG患者と神経筋機能が正常の患者で、まったく同じTOF（train-of-four）カウントを示しているとしましょう。その場合、MG患者では正常患者に比べ、かなり低いロクロニウム血中濃度、例えば1/10程度の低濃度で維持されており、つまり、かなり少ない血中分子

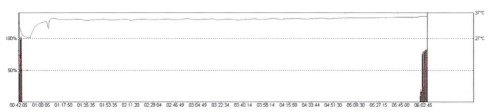

図　MG患者でのTOFウォッチ®実測図（自験データ）
コントロール刺激の段階でTOF比（●点）は100％を下回っている。スガマデクス投与後、迅速に回復しているが、TOF比はやはり100％には達しない。

数で、同じ筋弛緩状態が得られています。この少ないロクロニウム分子数に対し、スガマデクスを通常の至適量である2mg/kgを投与すれば、分子数の比較では通常よりも、かなり過剰に投与したことになります。ですから、それ以上に投与量を増やす必要はありません。実際に117症例のMG（Osserman分類ⅡaあるいはⅡb）の麻酔管理を報告したレポート[1]では、TOFウォッチ®を用いて筋弛緩程度を評価し、それに合わせて推奨量である2あるいは4mg/kgのスガマデクスを投与した結果、平均117秒（幅105～127秒）でTOF比0.9に回復しています。スガマデクスを投与してTOF比回復後も呼吸状態が不良な場合には、ほかの麻酔薬・麻薬の影響やMGの状態悪化を考慮すべきでしょう。

　スガマデクスの投与により、術後の筋無力症クリーゼの合併を減らせるとの報告[2]があります。本邦のDPC（diagnosis procedure combination）データベースを利用した後ろ向き解析の結果ですが、MGで胸腺摘出後の筋無力症クリーゼの発生頻度がスガマデクス非投与群の8.7％に比し、投与群では4.3％（オッズ比0.48）と低率でした。後ろ向き研究のため、この結果に関連する要因は不明ですが、残存筋弛緩を有効に回避できた可能性や、呼吸に関連するストレスが有意に軽減された可能性もあるのではないでしょうか？

　MGにおける筋弛緩モニタリングの注意点として、覚えていてほしいことがあります。それはコントロール刺激の段階から、TOF比が100％を大きく下回るケース（図）が存在することです。神経終末機能の障害や、TOFの4連続刺激中にも脱感作が生じている可能性が考えられますが、このようなケースではロクロニウムへの感受性も増大しています[3]ので、ロクロニウムの減量や慎重投与を要します。また、筋収縮運動の持続が困難な状態であることが推察されますので、抜管後の呼吸状態に特に注意する必要があります。最初から筋弛緩モニタリングを施行しなかった場合、このTOF減衰の情報を知りえないわけですから、スガマデクス投与後にTOF比が100％に回復しない状況をどのように評価するか、悩んでしまうことになります。

●文献
1) Vymazal T, Krecmerova M, Bicek V, et al. Feasibility of full and rapid neuromuscular blockade recovery with sugammadex in myasthenia gravis patients undergoing surgery — A series of 117 cases. Ther Clin Risk Manag 2015；11：1593-6.

2) Mouri H, Jo T, Matsui H, et al. Effect of sugammadex on postoperative myasthenic crisis in myasthenia gravis patients : Propensity score analysis of a Japanese nationwide database. Anesth Analg 2020 ; 130 : 367-73.
3) Fujimoto M, Terasaki S, Nishi M, et al. Response to rocuronium and its determinants in patients with myasthesia gravis. A case-control study. Eur J Anaesthesiol 2015 ; 32 : 1-9.

スガマデクスは、術後せん妄を軽減できるの？

高齢者の術後せん妄や認知機能障害は、現代の進歩した麻酔管理においても重大な術後合併症のひとつです。発症機序に関しての詳細はいまだ明らかにされていませんが、加齢に起因して減少している神経伝達物質のアセチルコリンが、周術期にさらに減少することが示唆されています。低酸素血症、高二酸化炭素血症、術後痛、塞栓症、脳梗塞、抗コリン薬や鎮静・鎮痛薬など、多数の影響因子が高齢者の中枢神経機能を混乱させるのです。

ネオスチグミンによる拮抗に慣れた状態で、スガマデクスを使用し始めた際に非常に驚嘆したのですが、筋力の回復が圧倒的に速いだけでなく、覚醒も速くなるように感じられました。それでは、筋弛緩薬やスガマデクスは中枢神経系に作用するのでしょうか？　答えは"NO"です。血中でイオン化している筋弛緩薬やスガマデクスは血液脳関門を通過しませんので、中枢神経系に直接作用するわけではありません。たとえ脳出血などの頭蓋内病変がある患者でも、脳脊髄液中に検出される筋弛緩薬濃度は、神経型ニコチン性アセチルコリン受容体に作用して神経興奮性の変調や呼吸抑制を誘発する濃度よりもかなり低いため、筋弛緩薬の直接的な中枢神経作用は否定的です。

しかしながら、ネオスチグミンを使用していたころと比較すると、スガマデクス使用時には確かに意識レベルが高いように感じます。非脱分極性筋弛緩薬投与下では、吸入麻酔薬の最小肺胞濃度（MAC）が減少する[1]のですが、これは筋弛緩薬の直接的な中枢神経抑制作用ではなく、間接作用であることが推定されています。例えば、浅麻酔下の犬に強制的に筋運動を行わせると、脳血流や脳酸素消費量が増大し、脳波も振幅減高、周波数増加と覚醒時の特徴に近づきます。非脱分極性遮断時には、これらの変化が見られません[2]。つまり筋活動が求心刺激となり、浅い麻酔状態では脳は覚醒に向かうことが示唆されます。明らかな筋収縮を起こすまでもなく、筋や腱の緊張変化や関節位置覚変化が脳への固有感覚入力量の増加につながり、麻酔深度を浅くする可能性があるのです（図）。スガマデクスによる筋弛緩からの回復は1～2分であるため、筋からの求心刺激も早期に脳に入力されるはずです。筋弛緩薬による筋からの求心性入力の減少といった間接的な中枢抑制作用と、

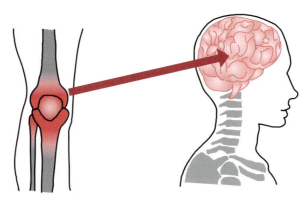

図　求心性固有感覚入力が麻酔からの覚醒を速める

スガマデクスの作用迅速性が、麻酔からの覚醒速度に影響しているかもしれません。

　だとすると、スガマデクスにより高齢者の覚醒状態が改善されれば、術後せん妄の発症頻度も減ることが予想されます。ネオスチグミン投与時にはアトロピンの併用投与が必須でしたので、アトロピンが血液脳関門を通過して、中枢神経内の神経伝達を阻害することが術後せん妄の原因にもなっていたはずです。また、ネオスチグミンの不確実な拮抗作用に起因する低酸素血症や高二酸化炭素血症、呼吸困難感に起因する不穏などもせん妄の発症要因であったと思われます。これらが解消されることで、せん妄の発症も抑えられるように思えますが、残念なことに、後ろ向きの研究結果では、スガマデクス投与群と抗コリンエステラーゼ投与群で発症頻度に有意差が認められていません[3]。ぜひ、前向き研究が望まれるところです。

● 文献

1) Forbes AR, Cohen NH, Eger II EI. Pancuronium reduces halothane requirement in man. Anesth Analg 1979；58：497-9.
2) Lanier WL, Laizzo PA, Milde JH, et al. The cerebral and systemic effects of movement in response to a noxious stimulus in lightly anesthetized dogs. Possible modulation of cerebral function by muscle afferents. Anesthesiology 1994；80：392-401.
3) Oh CS, Rhee KY, Yoon TG, et al. Postoperative delirium in elderly patients undergoing hip fracture surgery in the sugammadex era：A retrospective study. BioMed Research International 2016；Article ID 1054597.

スガマデクス投与後の再挿管は、どうするの？

これは、ベンジルイソキノリン系を使用できない本邦での特有の問題です。スガマデクスを使用後でも、その包接に関与しないベンジルイソキノリン系やスキサメトニウムであれば、通常どおりの投与量で、通常どおり作用してくれます。本邦ではスキサメトニウムは使用可能ですが、副作用が多岐にわたり、重篤症例もあることから、もう手術室には常備されていないという施設が多いのではないでしょうか？ つまり、緊急時には使えないわけですから、再挿管が必要になった場合には、ロクロニウムを再投与するしかない状況にあります。では、どのくらいの量を投与すればいいのでしょう？

ロクロニウムとスガマデクスの分子量は、それぞれ610g/mol、2178g/molです。ここから分子数を比較してみると、ロクロニウム0.6mg/kgとスガマデクス2mg/kgがほぼ等しい分子数になります（図1）。この量をお互い試験管内に入れれば、すぐに包接され、フリーのロクロニウムはなくなるでしょう。しかし生体内で迅速な拮抗作用を現すには、スガマデクスはこの4倍量を要します。この用量反応関係は、ロクロニウム1.2mg/kg投与直後にはスガマデクス16mg/kgが推奨投与量となっていることから推測されることです。つまり、ポストテタニックカウント（PTC）が1〜2の深部遮断の場合、スガマデクス

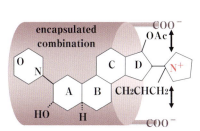

図1　ロクロニウムとスガマデクスの分子数

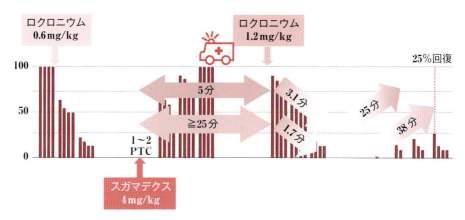

図2　スガマデクス拮抗からロクロニウム再投与までの時間と効果
PTC：ポストテタニックカウント
[Cammu G, de Kam PJ, De Graeve K, et al. Repeat dosing of rocuronium 1.2mg kg^{-1} after reversal of neuromuscular block by sugammadex 4.0 mg kg^{-1} in anaesthetized healthy volunteers：A modelling-based pilot study. Br J Anaesth 2010；105：487-92のデータをもとに作成]

4mg/kgが至適量となりますが、1：1の包接のために必要な量の4倍量のスガマデクスが投与されているとすれば、単純に考えて拮抗直後には3mg/kgのスガマデクスは包接せずに余った状態ということになります。スガマデクスの半減期は約2時間くらいですので、本来であれば数時間、ロクロニウムは効きにくい状態にあるということになります。ですから、再投与するロクロニウムは大量に必要となるのです。

図2のような研究がなされています[1]。ロクロニウムによる深部遮断の状態でスガマデクス4mg/kgで拮抗後、5～60分後にロクロニウム1.2mg/kgを再投与した場合、5分後投与時には平均3.1分、25分以上投与間隔が空いている場合には1.7分で作用発現します。25％作用持続時間は5分後投与では25分と短縮していますが、間隔が25分以上空いていれば38分と正常に近づきます。しかし先の計算からは、スガマデクス投与から30分経過していても、迅速気管挿管が必要であればロクロニウム2mg/kg程度を投与してもよいような気がします。

筋弛緩モニターを用いて、スガマデクスの至適量を投与していれば、なんとなく以上のような推測も成り立ちますが、ブロック率も分からず、スガマデクスを1バイアル投与したあとではどうしようもありません。図3には当科で経験した再挿管例のTOFウォッチ®データを示しています。70歳代、男性、体重53kg、筋弛緩状態は不明のままスガマデクス200mg投与で拮抗1時間後、ロクロニウムを再投与したケースです。ロクロニウムは分割投与しましたが、計1.2mg/kg量で完全遮断を得ました。このような場合には個人差を含め、最終的にはモニタリングにより投与量を決定するしかないことになります。このような状況にも対応できるよう、本邦で多施設研究[2]が実施されました。スガマデクス投与から12時間以内にロクロニウムの再投与を要した症例を対象に、ロクロニウムを最初0.6

図3　スガマデクス投与1時間後の再挿管（自験例）

mg/kg投与し、3分後に完全遮断が得られなければ0.3mg/kgを追加投与し、その後2分ごとに同量を分割投与し、完全遮断量を観察しています。先の麻酔時のスガマデクスの投与量は症例によって異なり、1.8〜4.3mg/kgと臨床投与量が用いられていましたが、スガマデクス投与からの間隔が3時間以上空いていればロクロニウム0.6mg/kgで完全遮断が得られています。ロクロニウム投与量を決める際、3時間がひとつの目安になりそうです。

● 文献

1) Cammu G, de Kam PJ, De Graeve K, et al. Repeat dosing of rocuronium 1.2 mg kg^{-1} after reversal of neuromuscular block by sugammadex 4.0 mg kg^{-1} in anaesthetized healthy volunteers：A modelling-based pilot study. Br J Anaesth 2010；105：487-92.
2) Iwasaki H, Sasakawa T, Takahoko K, et al. A case series of re-establishment of neuromuscular block with rocuronium after sugammadex reversal. J Anesth 2016；30：534-7.

Q54 再クラーレ化は、なぜ起こるの？

A 再クラーレ化（recurarization）とは、いったん回復した神経筋収縮反応が再度機能低下する状態を指します。手術室内では呼吸もしっかりしていたはずなのに、病棟に帰室してから呼吸状態が悪くなったといった場合には、再クラーレ化も原因のひとつとして考慮すべきでしょう。

例えば、まだTOF（train-of-four）比が回復途中で筋弛緩効果が残存しているような状況下で起こりやすいのは当然ですが、TOF比が完全に回復したにもかかわらず生じることもあります。安全域（薬理編Q3 安全域とは？　の項を参照）のことを思い出していただければ、ご理解いただけるでしょう。例えば母指内転筋であれば、神経筋接合部内の25％以上のニコチン性アセチルコリン受容体が筋弛緩薬による占拠を解かれれば、その運動単位の神経筋刺激伝達は通常どおりなされます。機能が正常化した運動単位が増えるごとに、握力も正常化します。呼吸筋の運動単位ではさらに安全域は広く、より少ない10％の

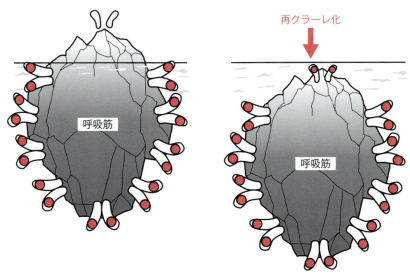

図　Iceberg theory

◆ **67歳、男性、体重104kg、腹腔鏡下胆嚢摘出術** ◆
❶ 手術中、筋弛緩はシスアトラクリウムで維持
❷ 手術終了後、ネオスチグミン2.5mgで拮抗、計2回投与
❸ このあと、50Hz-テタヌス刺激で減衰反応を認めず、抜管して回復室へ移動
❹ 5分後、心房細動により心拍数170/minに
❺ 治療として硫酸マグネシム2gを緩徐に静脈内投与
❻ 3分後、呼吸停止、再挿管し人工呼吸開始
❼ この際、尺骨神経TOF刺激でTOFカウント1、50Hz-テタヌス刺激で著明な減衰反応あり
❽ 20分後、TOFカウント4に回復、テタヌス減衰消失

図2　再クラーレ化の症例

受容体のみで機能します。つまり呼吸量が十分という理由で、拮抗をせずに手術室を退室させた場合、神経筋機能は正常化しているとはいえ、90％の受容体がまだ筋弛緩薬に占拠されているかもしれないのです。"iceberg theory"と呼称されるように、この際の神経筋機能は氷山の一角のみを反映しているにすぎず、海中に沈んで、機能していない部分は依然大きいということになります（図1）。ここに筋弛緩効果を助長する因子、例えばオピオイドによる呼吸抑制で呼吸性アシドーシスが加わったり、局所麻酔薬、マグネシウムなどの抗不整脈薬、アミノグリコシド系やポリペプチド系抗菌薬などが投与されたりすれば、アセチルコリン受容体の安全域を越え、思いがけず筋弛緩作用の再発現を招いてしまいます。術後に投与したマグネシウムにより、再クラーレ化を生じた報告[1]を図2にご紹介します。おそらく、マグネシウムが神経終末からのアセチルコリン放出を抑制した結果と考えられます。

　そこで、再クラーレ化のリスクをなくすには、TOF比が回復していても拮抗薬は投与するという予防策を講じる必要があります。ネオスチグミンの場合には、神経筋機能回復後の投与により、むしろ脱感作性ブロックを生じさせてしまう危険性があったため、この予防策にはなりえませんでした。スガマデクスも過少投与では再クラーレ化を起こすことが知られていますが、至適量を投与することで再クラーレ化は確実に予防できるでしょう。

●文献
1) Fawcett WJ, Stone JP. Recurarization in the recovery room following the use of magnesium sulfate. Br J Anaesth 2003 ; 91 : 435-8.

呼吸性アシドーシスで、再クラーレ化が生じるのはなぜ？

呼吸抑制、上気道閉塞や換気異常によりCO_2を呼出できず体内に蓄積すると、呼吸性アシドーシスとなります。そうなるとHCO_3^-の産生と腎における再吸収が促進され、減少したpHを代償しようとします。この過程において産生増加したH^+が再クラーレ化に加担すると説明されています。ベクロニウムやロクロニウムは、アセチルコリン受容体に結合できる4級アンモニウムを1つだけ有していますが、pHが低下し、H^+が増加した状態では、分子内の対側に位置する3級アミンが偽性の4級アンモニウムに変換される割合が増加するため、筋弛緩薬の受容体結合機会が増え、筋弛緩作用が増強すると推測されています（図1）。最初から4級アンモニウムを2つ有するパンクロニウムには当てはまりません。

実際、呼吸性アシドーシス発症時には、どの程度の筋弛緩増強作用が現れるのでしょうか？　本邦から報告された重要論文の結果（図2）[1]をご紹介します。ラットの横隔神経-横隔膜標本を浸けた溶液中のCO_2濃度を変化させpHを下げると、ベクロニウム筋弛緩が23％増強されることが示されています。この抑制率から推察するに、抜管時に筋弛緩から回復していたとしても、仮に終板のアセチルコリン受容体が筋弛緩薬により安全域のかなりの部分を占拠されているとすると、術後鎮痛に用いられるオピオイドなどによる呼吸抑

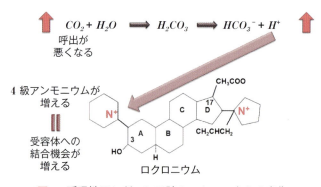

図1　呼吸性アシドーシス時のロクロニウムの変化

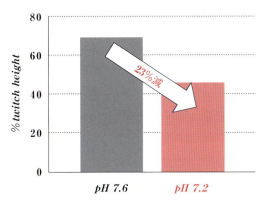

図2 呼吸性アシドーシス時の筋弛緩増強効果
[Ono K, Nagano O, Ohata Y, et al. Neuromuscular effects of respiratory and metabolic acid-base changes in vitro with and without nondepolarizing muscle relaxants. Anesthesiology 1990; 73: 710-6のデータをもとに作成]

制に起因する呼吸性アシドーシスが生じた場合、再クラーレ化が十分に起こりうるはずです。

● 文献
1) Ono K, Nagano O, Ohata Y, et al. Neuromuscular effects of respiratory and metabolic acid-base changes in vitro with and without nondepolarizing muscle relaxants. Anesthesiology 1990; 73: 710-6.

d-ツボクラリンは、どんな筋弛緩薬だったの？

A d-ツボクラリン（d-tubocurarine：d-Tc）は、1942年、Dr. Griffithにより初めて臨床応用されたベンジルイソキノリン系長時間作用性非脱分極性筋弛緩薬（表1）です。それまでは高濃度エーテルにより麻酔が維持されていましたが、本薬の出現により現代でいうバランス麻酔が可能になり、全身麻酔が飛躍的に進歩しました。本邦では1952年（表2）に臨床で使われるようになりましたが、下記の筋弛緩薬の有するべき理想的性質：

- ◆ メカニズム──非脱分極性
- ◆ 作用発現が迅速
- ◆ 作用持続が短い（適度）
    - 肝腎機能に影響されない
    - 蓄積性がない
    - 持続投与できる
- ◆ 循環に影響しない
    - ヒスタミン遊離がない
    - 自律神経節遮断がない
    - ムスカリン受容体遮断がない　など

表1　非脱分極性筋弛緩薬の分類

作用時間	ステロイド型	ベンジルイソキノリン系	そのほか
短時間	ラパクロニウム	ミバクリウム	
中時間	ベクロニウム ロクロニウム	アトラクリウム シスアトラクリウム	
長時間	パンクロニウム ピペクロニウム	d-ツボクラリン メトクリン ドキサクリウム	ガラミン アルクロニウム

本邦ではベクロニウム、ロクロニウムしか使用できないが、海外ではミバクリウム、アトラクリウム、シスアトラクリウムも使用可能である。

表2 本邦での筋弛緩薬の臨床導入時期

1952年	d-ツボクラリン
1955年	スキサメトニウム
1973年	パンクロニウム
1988年	ベクロニウム
2007年	ロクロニウム

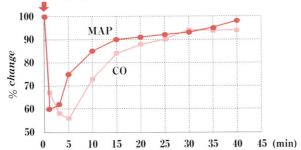

図1 d-ツボクラリンによる平均動脈圧(MAP)と心拍出量(CO)の減少度

[Lee D, Johnson DL. Effect of D-tubocurarine and anaesthesia upon cardiac output in normal and histamine-depleted dogs. Can Anaesth Soc J 1971；18：157-65のデータをもとに作成]

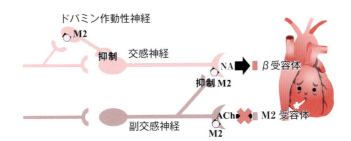

図2 パンクロニウムのムスカリン受容体拮抗の影響

パンクロニウムはムスカリン2(M2)受容体に結合するので、ドパミン作動性神経および副交感神経による交感神経への抑制が効かなくなり、結果、心拍数を増加させる。
NA：ノルアドレナリン、ACh：アセチルコリン

◆ 有効な拮抗薬がある
◆ アレルギー反応が少ない
◆ そのほか、血管痛がない、水溶性、プレフィルド剤 など

とは、ほど遠い薬であったに違いありません。d-Tcは南米の狩猟民族が矢毒として用いていたクラーレから抽出され、開発されたわけですから、筋弛緩効果以外にも毒薬（現在でも筋弛緩薬は毒薬に分類されています）としての性質を有していました。強力なヒス

タミン遊離作用と交感神経節遮断作用による過度の低血圧（図1）[1]、気管支痙攣は重大な問題でありました。ヒスタミンによる血管拡張により反射性頻脈が生じることが多いのですが、自律神経節遮断により逆に徐脈にもなりえます。長時間持続する神経筋遮断作用も調節性の悪さを実感させますが、d-Tcはほかの筋弛緩薬に比べ、シナプス前の神経終末に対する作用が強く、連続刺激時のフェードも長時間持続させるため、残存筋弛緩は言を俟たなかったに違いありません。筋弛緩薬の使用が術後死亡率を増加させるという古きデータも、この毒薬としての性質を理解せずに実施した麻酔や術後管理の結果といえるでしょう。腎排泄性のため、特に腎不全や腎機能障害を有する患者では、作用持続時間は予測できないほど著明に延長しました。

　ベンジルイソキノリン系と対をなし、本邦では主流であるステロイド型筋弛緩薬も、d-Tcのルーツと同様に、南米のキョウチクトウという植物から抽出されたmalouetinに端を発しています。David Savageらが、このmalouetinが有するステロイド骨格の側鎖を種々変換し、d-Tcと比較して安全性をかなり向上させた筋弛緩薬として、1964年、パンクロニウムの合成に成功しました。パンクロニウムも長時間作用性、腎排泄性で調節性が悪いために筋弛緩を遷延させやすく、さらにムスカリン2（M2）受容体にも作用するために頻脈を生じさせました（図2）。虚血性心疾患の患者では使いにくかったのですが、フェンタニルの徐脈化に対抗できるとして、特に小児の麻酔導入時には有用とされていました。パンクロニウムと異なり、循環に影響のないベクロニウムが続いて発売されたときには、むしろ心停止症例の報告が相次ぎ、ベクロニウムの徐脈化作用が疑われたほどでした。現在用いられているロクロニウムも、何段階にも及ぶ筋弛緩薬の開発、進歩の末にたどり着いた理想に近い薬ではありますが、アナフィラキシーの発症や血管痛、作用時間が肝機能の影響を多大に受けるなど、まだまだ完成形ではありません。

● 文献
1) Lee D, Johnson DL. Effect of d-tubocurarine and anaesthesia upon cardiac output in normal and histamine-depleted dogs. Can Anaesth Soc J 1971；18：157-65.

Q57 スキサメトニウムは、どのように高カリウム血症を誘発するの？

A スキサメトニウムの投与禁忌として、広範囲の熱傷や外傷、片麻痺などの上位ニューロン障害、広範囲の下位運動ニューロン障害などが挙げられています。これらの患者にスキサメトニウムを投与すると、筋の脱分極反応が過大となり高カリウム血症を生じ、ひいては心室細動を誘発する危険性があります。なぜ、脱分極が通常よりも増大するのでしょう？

熱傷や外傷では直接的に神経筋接合部が破壊されますし、中枢神経損傷では神経栄養因子の欠乏により支配域の神経筋接合部の破綻を招きます。運動神経末端からアグリンが放出されなくなると、終板に集積していた筋型ニコチン性アセチルコリン受容体が局在性を失い、終板外の筋膜上に広く散在するようになります。受容体のεサブユニットの産生亢進を促すacetylcholine receptor inducing activity（ARIA）が作用しなくなり、かつγサブユニットの産生亢進を抑制するアセチルコリンによる脱分極反応が減少すると、受容体のサブユニット構成が成熟型〔$(\alpha_1)_2\beta\delta\varepsilon$〕から未熟型〔$(\alpha_1)_2\beta\delta\gamma$〕に変換されるとともに、別の幼若型である$\alpha_7$受容体も多数筋膜上に発現します（図1、図2）。幼若型

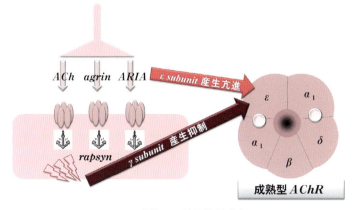

図1 成熟した神経筋接合部
ACh（R）：アセチルコリン（受容体）、ARIA：acetylcholine receptor inducing activity

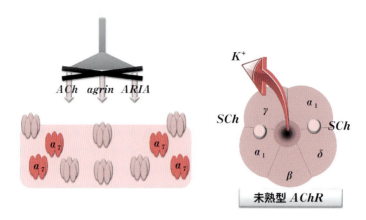

図2 除神経による神経筋接合部の破綻
ACh（R）：アセチルコリン（受容体）、ARIA：acetylcholine receptor inducing activity、SCh：スキサメトニウム

は、スキサメトニウムなどのアゴニストにより誘発される脱分極が通常よりも遷延します。このシナプス外の筋膜上にアップレギュレーションにより幼若型受容体が増加した状況で、スキサメトニウムが投与されると、筋膜全体で脱分極反応が長く起こり、カリウムが細胞内から外へ大量に移動します。神経筋が正常の患者でもスキサメトニウムは血清カリウム値を0.5mEq/l程度、一時的に増加させますが、神経筋接合部に上記のような異常のある患者では、循環に影響の出る7〜8mEq/lを超える高カリウム血症を招いてしまいます。

ベンジルイソキノリン系は、本邦で使えるようになるの？

初めて臨床使用された筋弛緩薬であるd-ツボクラリン以降、諸外国では短時間作用性のミバクリウム、中時間作用性のアトラクリウム、シスアトラクリウムが使用されています。以前、本邦でもミバクリウムとシスアトラクリウムの臨床試験が開始されたものの、開発会社側の理由により急遽中断されました。ステロイド型筋弛緩薬しか使用できない本邦では、これらの薬の開発に関しては、薬物の選択の幅が広がると非常に期待されていたので、当時、私はとても残念に思った記憶があります。

ベンジルイソキノリン系筋弛緩薬の最大の利点（表）は、その代謝にあります。ミバクリウムはスキサメトニウムと同様、血中の偽性コリンエステラーゼにより代謝されるため短時間作用性であり、持続投与にも適しています。シスアトラクリウムはホフマン分解という自然分解で代謝されますので、中時間作用性でありながら蓄積性もありません。肝腎機能にその排泄を依存するステロイド型筋弛緩薬と異なり、高齢者でも作用時間が延長せず、効果時間のばらつきも少ない（図1）[1]）のがメリットです。臓器機能が低下した全身性疾患や集中治療室（ICU）の患者でも投与しやすいため、海外では人工呼吸が必要な急性呼吸促迫症候群（ARDS）患者には優先的にシスアトラクリウムが用いられているようで

表　ベンジルイソキノリン系筋弛緩薬の利点と欠点

	ミバクリウム	アトラクリウム シスアトラクリウム
作用時間	短時間	中時間
代　謝	偽性コリン エステラーゼ	ホフマン分解
利　点	肝腎に依存しない代謝のため、 高齢者でも作用が延長しない 蓄積性がない アナフィラキシーが少ない	
欠　点	ヒスタミン遊離作用がある スガマデクスが効かない	*Laudanosine*産生

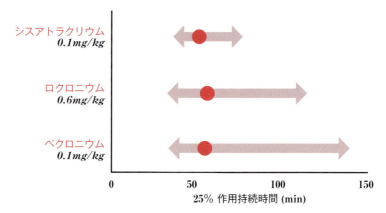

図1 高齢者における各筋弛緩薬の作用持続時間
●は平均値、⟷がばらつきを表す。
[Arain SR, Kern S, Ficke DJ, et al. Variability of duration of action of neuromuscular-blocking drugs in elderly patients. Acta Anaesthesiol Scand 2005 ; 49 : 312-5のデータをもとに作成]

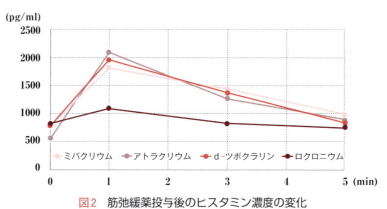

図2 筋弛緩薬投与後のヒスタミン濃度の変化
[Naguib M, Samarkandi AH, Bakhamees HS, et al. Histamine-release haemodynamic changes produced by rocuronium, vecuronium, mivacurium, atracurium and tubocurarine. Br J Anaesth 1995 ; 75 : 588-92のデータをもとに作成]

す。麻酔中のアナフィラキシーショックの起因薬として頻度が最多であるのは筋弛緩薬ですが、その中でもスキサメトニウムとロクロニウムが上位を占め、ベンジルイソキノリン系は頻度が低いことが知られています。

　本邦でベンジルイソキノリン系筋弛緩薬が受け入れられにくい理由としては、やはりヒスタミン遊離作用があるという点が大きいでしょう。投与後、数分間は血中ヒスタミン濃度が有意に上昇します（図2）[2] ので、血圧低下や頻脈、皮膚発赤などが生じます。筋弛緩薬に循環反応が伴うことが、安全性管理の面で使いにくいという感が拭えないのだと思います。シスアトラクリウムは、代謝の過程で痙攣誘発作用を有する代謝物であるlaudanosineを産生します。臨床量での使用中には痙攣閾値には到達することはなく、持続投与しても問題ないとされていますが、長期使用時には多少留意しなければなりません。そ

のほか、作用発現時間が3～4分と遅いこと、スガマデクスがまったく効かないため、抗コリンエステラーゼにより拮抗するしかないといったデメリットも挙げられます。

　ヒスタミン遊離作用をなくした中時間作用性製剤（CW002：ガンタクリウムの誘導体）が創薬されていますが、まだ長期の研究段階にあり、残念ながら臨床応用の目途も立っていません。この薬のメリットは、安価なアミノ酸であるシステインにより拮抗でき、スガマデクスと同等の速さで筋弛緩から回復できることにあります。臨床応用されることを願うばかりです。

●文献
1) Arain SR, Kern S, Ficke DJ, et al. Variability of duration of action of neuromuscular-blocking drugs in elderly patients. Acta Anaesthesiol Scand 2005；49：312-5.
2) Naguib M, Samarkandi AH, Bakhamees HS, et al. Histamine-release haemodynamic changes produced by rocuronium, vecuronium, mivacurium, atracurium and tubocurarine. Br J Anaesth 1995；75：588-92.

新しい筋弛緩薬や拮抗薬の開発は、進んでいるの？

A ステロイド型筋弛緩薬の開発話は私の耳には届いていません。もうロクロニウムで満足なのでしょうか？ ベンジルイソキノリン系では、もう随分前からガンタクリウムのアナログであるCW002という非脱分極性筋弛緩薬の研究が進行しています。これまでアトラクリウムやミバクリウムなどの同系薬は、ヒスタミン遊離に伴う血圧低下と脈拍増加が問題でありましたが、CW002には大きな循環変動は認められないようです。作用発現は速く、体内でL-システインが結合することで徐々に不活化されていくため、中時間作用性の範疇に入ります。イヌではED_{95}（95％有効量）が0.009mg/kg、$3×ED_{95}$量投与時の平均作用発現時間は2.6分、95％回復までの自然回復時間は47分です。L-システインを大量静脈内投与すると迅速に作用が消失するという特徴も有し、CW002を$3×ED_{95}$量投与直後でも、L-システインを50mg/kgを投与すると、平均3.7分で回復が得られるようです。ED_{95}の25倍量投与しても循環への影響はありません[1]。懸念される問題としては、拮抗に用いる高用量のL-システインがある種においては神経毒性を呈することでしょう。今後、ヒトでの研究が検討される段階では、この点が障壁になるかもしれません。

　現在はスガマデクスが筋弛緩回復薬の主役となっています。アトラクリウムやシスアトラクリウムなどのベンジルイソキノリン系筋弛緩薬が使用できない本邦では、ロクロニウムとスガマデクスのコンビネーションで問題ありませんが、このような筋弛緩薬の種類が限定的な国は珍しく、欧米諸国ではベンジルイソキノリン系も筋弛緩薬使用率の20〜30％を占めているのが現状です。スガマデクスはステロイド型筋弛緩薬、特にロクロニウムにフィットするようデザインされています。その構造は単糖類が8個環状に結合したγシクロデキストリンです。ベンジルイソキノリン型には無効ですので、現在でも抗コリンエステラーゼで拮抗を行う必要があります。そこでステロイド型筋弛緩薬のみでなく、ベンジルイソキノリン系薬にも有効な新しい回復薬が開発研究されています。それがcalabadionです。この薬はcucurbiturilというカボチャをくり抜いたジャコランタンのような化合物で、スガマデクスと同様に筋弛緩薬分子と1：1でホスト・ゲスト複合体を形成しま

図1 Calabadionはglycolurilが4つ連なり、分子間の骨格が屈曲する構造

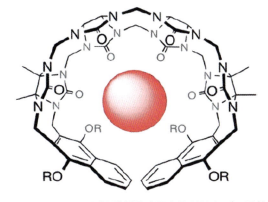

図2 Calabadionが筋弛緩薬分子を取り込んでいる状態
[Haerter F, Simons JC, Foerster U, et al. Comparative effectiveness of calabadion and sugammadex to reverse non-depolarizing neuromuscular-blocking agents. Anesthesiology 2015；123：1337-49より転載]

す。分子形状は、完全なドーナツ状ではなく、4つ連なったglycoluril骨格が柔軟に屈曲し（図1）、C型の非環状構造をとり、筋弛緩薬分子の周囲に巻き付くように包接します（図2）[2]。つまり相手方の分子の大きさの違いに、ある程度、対応可能となっています。スガマデクスと同様に、筋弛緩薬のカチオンに反応する静電結合も結合機序に含まれています。回復に要する時間も1分前後とスガマデクスと同等で、迅速な回復が得られます。まだ研究段階ですが、近い将来に臨床応用される可能性が高いと思われます。

●文献
1) Heerdt PM, Malhotra JK, Pan BY, et al. Pharmacodynamics and cardiopulmonary side effects of CW002, a cysteine-reversible neuromuscular blocking drug in dogs. Anesthesiology 2010；112：910-6.
2) Haerter F, Simons JC, Foerster U, et al. Comparative effectiveness of calabadion and sugammadex to reverse non-depolarizing neuromuscular-blocking agents. Anesthesiology 2015；123：1337-49.

Q60 ボトックス®も、アセチルコリン受容体に作用するの？

I 薬理編

A ボトックス®はA型ボツリヌス毒素を医薬品化したもので、眼瞼痙攣や顔面痙攣、痙性斜頸などに治療応用されています。痛み治療にではありませんが、私はペインクリニック診療で痙攣治療に用いています。筋痙攣部の皮下あるいは筋肉内投与後、数日かけて緩徐に骨格筋の麻痺が進行しますが、これは筋肉への直接作用なのでしょうか、あるいは筋弛緩薬と同様に神経筋接合部への作用なのでしょうか？

麻痺を来すほかの有名な毒素であるブンガロトキシン（ヘビ毒）、テトロドトキシン（フグ毒）と同じで、ボツリヌストキシンも神経筋接合部に作用します。ブンガロトキシンはαとβに種別され、α-ブンガロトキシンは終板のアセチルコリン受容体に選択的に結合し、β-ブンガロトキシンは神経終末からのアセチルコリンの放出を阻害することで筋弛緩作用を発揮します。これらは、神経筋刺激伝達研究や基礎的な筋弛緩研究によく用いられる毒素です。テトロドトキシンは、神経や筋膜の電位依存性ナトリウムチャネルを遮断します。

では、ボツリヌストキシンはどうでしょうか？ 答えは、神経終末側に特異的に作用して、アセチルコリンの放出を抑制することで麻痺を起こします。神経終末内ではアセチルコリンはシナプス小胞に貯蔵されていますが、刺激を受けて活性帯神経膜に融合し、開口分泌されます。そのシナプス小胞の神経膜融合時に機能するのがSNAREプロテインと呼ばれるシナプトブレビン、シンタキシン、SNAP-25です（図1）。ボツリヌストキシンはこの3つのタンパク質を分解しますので、シナプス小胞が膜に融合できなくなり、アセチルコリンのシナプス間隙への開口分泌が起こらなくなるというのが、骨格筋麻痺のメカニズムです。

以前、術中に両側ともに皺眉筋のモニタリングができずに困ったケースを経験したことがありました。もしやと思い、術後回診でおそるおそる患者さんに伺って分かったことですが、まさに美容目的に皺眉筋領域にボトックス®注射を施行していた患者さんでした。皺眉筋は眼窩上部内側（図2）にあり、眉間に皺を寄せる筋（図3）ですので、この部分へのボトックス®注射により、若々しいきれいな眉間や眼つきが得られるようです。美しさ

Q60 ボトックス®も、アセチルコリン受容体に作用するの？

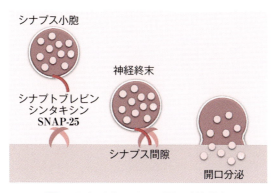

図1 アセチルコリンの開口分泌過程

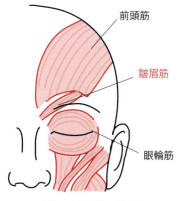

図2 皺眉筋の位置

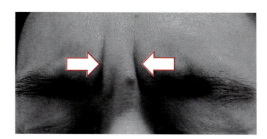

図3 皺眉筋の働き

のためには、毒をも食らうのです。

II

Clear Q & A 88

モニター編

Q61 利き腕と逆の腕、モニターはどちらに着けるの？

骨格筋の組成や量が異なれば、たとえ同一個体であっても左右上肢間で筋弛緩薬の効き方に差があってもおかしくはありません。利き腕のほうが握力も強く、筋量、運動単位数も多いはずであり、細やかな正確な動きもできますので、筋弛緩薬の効果が対側と比較して弱いのではないかと想像されるところですが、これまでの報告では左右上肢間で差がないとの結果が得られています[1]。理由は分かりませんが、よほど一肢のみを鍛えているスポーツマン、例えば腕相撲レスラーなどでないかぎり（これも想像ですが……）、大きな効果差は出ないものと考えられます。つまり利き腕が左右どちら

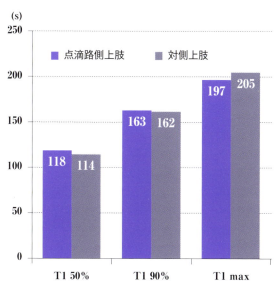

図　ベクロニウム0.1mg/kg投与後の点滴路側上肢と対側上肢における作用発現時間の比較

T1 50％、T1 90％、T1 max：TOF刺激時、T1がコントロールの50％、90％、最大遮断率に達するまでの時間

[Merle JC, Jurczyk M, D'Honneur G, et al. Onset of neuromuscular block is the same if the ipsilateral or contralateral limb to the injection site is used for monitoring. Br J Anaesth 1995；74：333-4のデータをもとに作成]

なのかを気にしてモニタリングする必要はないといえます。

　点滴路の有無もよく気にされる方がいらっしゃるようです。静脈路が確保されているほうが、なんとなく速く効きそうですが……。しかし動脈ラインならまだしも、静脈路に関しては気にしすぎです。左右どちらの前腕静脈から投与しようが、作用発現時間や遮断率にまったく効果差はありません（図）[2]。むしろ麻酔導入時の頻回の血圧測定（マンシェット装着）により駆血時間が長くなると、その側の作用発現は遅くなるかもしれません。筋弛緩薬を末梢静脈路から投与する場合と、中心静脈から投与する場合には、作用発現時間に差が出てしまいますので、ご注意を。当然、中心静脈内投与で有意に速く筋弛緩効果が発現します。

　基本、上肢に筋弛緩効果の左右差はありませんので、左右の腕で同時に異種のモニターを作動させることにより、モニターの精度比較研究が成り立ちます。

● 文献
1) Claudius C, Skovgaard LT, Viby-Mogensen J. Arm-to-arm variation when evaluating neuromuscular block : An analysis of the precision and the bias and agreement between arms when using mechanomyography or acceleromyography. Br J Anaesth 2010；105：310-7.
2) Merle JC, Jurczyk M, D'Honneur G, et al. Onset of neuromuscular block is the same if the ipsilateral or contralateral limb to the injection site is used for monitoring. Br J Anaesth 1995；74：333-4.

電極の貼り方は？

神経を挟むように段差をつけて電極を貼ったほうがいいと教えられましたが、あまり難しく考える必要はありません。尺骨神経の場合、手を握らせると尺側手根屈筋腱が浮き出ますので、その外側に電極を貼ってください。あるいは尺骨動脈の拍動を目安にしても構いません（図1）。よほど皮下が厚い人でないかぎり、貼付部位が多少ずれても最大上刺激が大きくなりすぎることはないでしょう。

貼る際の注意点を挙げます。

❶ まず貼付部位を酒精綿でよく擦ること：これは脱脂することで電気抵抗を均一化、かつ全体に減らすことができます。抵抗を均一化することで、一部に電流が集中して熱傷を来すことを回避できます。

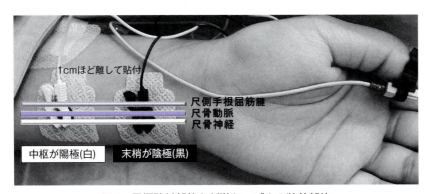

図1　電極貼付部位と刺激ケーブルの装着部位

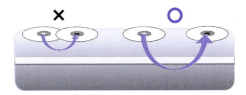

図2　電極は適度に離して貼付すること

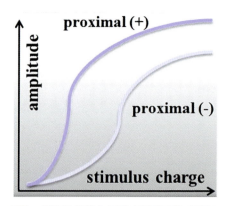

図3 電極の極性と母指内転筋電位の違い
[Brull SJ, Silverman DG. Pulse widse, stimulus intensity, electrode placement, and polarity during assessment of neuromuscular block. Anesthesiology 1995；83：702-9より改変転載]

❷ 新しく開封した電極を使うこと：乾燥していると抵抗が大きくなり、電圧が高くなるため、やはり熱傷の原因になります。

❸ あまり手関節に近づきすぎないこと：これは母指球筋や小指球筋群のdirect stimulation（モニター編Q70 Direct stimulationとは、どのような状態なの？ の項を参照）を起こさないためです。

❹ 電極同志を近接しすぎないこと：近すぎると電流が表層を通過するため、神経に十分に伝わらない可能性があります（図2）。

刺激ケーブルですが、TOFウォッチ®の場合は白色が陽極、黒色が陰極になっています。どちらに着けても収縮反応は得られるのですが、中枢側に陽極を位置させたほうが筋収縮反応は大きくなります（図3）[1]ので、中枢－白、末梢－黒は厳守しましょう。"末黒（まっくろ）"と覚えてください。

●文献

1）Brull SJ, Silverman DG. Pulse width, stimulus intensity, electrode placement, and polarity during assessment of neuromuscular block. Anesthesiology 1995；83：702-9.

なぜ、2Hz-TOF刺激が用いられるの？

TOF（train-of-four）刺激は連続で4回刺激するモードですが、なぜ4回刺激なのか、そして、これがなぜ2Hz、つまり0.5秒間隔に設定されているのか、ご存知でしょうか？

テタヌス刺激を代表とする連続刺激は、非脱分極性筋弛緩の特徴であるフェードをとらえるためのモードです。刺激頻度を高くするほど、フェードをとらえやすいのですが、例えば100Hz、5秒間の刺激はフェードを評価しやすい一方で、非生理的な刺激頻度のため、非筋弛緩下でもフェードを起こすことがあり、過大評価の原因となります。テタヌス刺激後増強反応（post-tetanic facilitation：ポストテタニックカウントの理論）のため、一回刺激すると、しばらくは再評価できない欠点も有します（ポストテタニックカウント刺激は6分空けることが推奨されています）。2Hzの刺激頻度はフェードを安定して測定するのに必要な最低頻度であり（図1）、かつ2Hzの場合、4発目の反応がもっとも小さくなり、

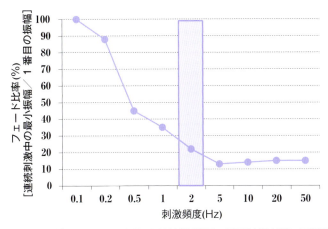

図1　d-ツボクラリンによる50％筋弛緩下の尺骨神経刺激–母指球筋EMG反応
2Hz以上の頻度であれば、フェードはほぼコンスタントにとらえることができる。
[Lee C, Katz RL. Fade of neutrally evoked compound electromyogram during neuromuscular block by d-tubocurarine. Anesth Analg 1977 ; 56 : 271-5のデータをもとに作成]

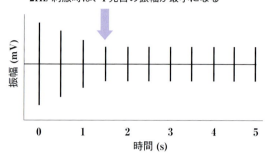

図2　刺激頻度と減衰の関係
[Lee C, Katz RL. Fade of neutrally evoked compound electromyogram during neuromuscular block by d-tubocurarine. Anesth Analg 1977；56：271-5のデータをもとに作成]

5発、6発と刺激を増やしてもフェードは増大しません（図2）[1]。つまり、2 HzのTOF刺激は、連続刺激としては理想的なのです。

それでは、2 Hz-TOF刺激を1サイクルとして、どの程度の間隔で連続刺激すればいいのでしょうか？　一度、神経を電気刺激すると、神経終末内に流入したカルシウムイオンの遺残効果は200 ms程度持続します。この期間中に再度刺激すると、神経終末から放出されるアセチルコリン量は、1回目の刺激時と比べ多くなり（促通）、その後は数秒間、逆に減少します。正常の神経筋に最大上刺激を加えている場合には、もともと最大反応が得られているはずですので、このアセチルコリン量の変動が筋活動電位や筋張力に与える影響は少ないのですが、部分的に筋弛緩状態にある場合には、2回目の刺激時に促通効果により受容体の競合が起こり、筋収縮反応が増大することになります。よって刺激を繰り返す場合には、少なくとも10秒間のインターバルが必要で、TOF刺激も12-15秒間隔に設定されているのはこのためです。

2 Hzで4回刺激を10秒以上のインターバルで繰り返せば、テタヌス刺激後増強は認められず、筋弛緩薬部分作用下のフェードも十分に判定できることをお分かりいただけましたでしょうか？

● 文献

1) Lee C, Katz RL. Fade of neutrally evoked compound electromyogram during neuromuscular block by d-tubocurarine. Anesth Analg 1977；56：271-5.

Q64 適切な神経刺激の大きさは？

経皮的に神経を電気刺激する際の電流値の設定は、とても重要です。麻酔中の時相によって、電気刺激に反応する運動単位数が変化してしまえば、正確な筋弛緩モニタリングが不可能になってしまいます。

筋収縮を考える場合、その基本単位は運動単位（図1）であり、1本の運動神経とそれにより支配される筋線維群により構成されます。一般に粗大な動きを担う筋では1本の神経が多数の筋線維を支配しますが、緻密な動きを担う筋では支配筋線維は少なくなります。骨格筋の種によって異なりますが、数百の運動単位が集合して神経筋活動を担います。各運動単位は全か無の法則に従って活性化されますので、神経刺激値が小さすぎる場合には、神経や筋の脱分極を誘発する閾値を超えた運動単位と超えない運動単位が混在してしまいます。刺激により活性化される運動単位数が異なれば、それに見合う筋張力も異なってしまいます。刺激値が小さすぎる場合には、モニタリングのベースラインが安定しないことにつながります。反対に刺激値が大きすぎると、神経筋接合部を介さない筋の直接刺激（モニター編 Q70 Direct stimulation とは、どのような状態なの？　の項を参照）が生じてしまいますので、結局のところ、モニタリングする筋の構成運動単位が非筋弛緩下ですべて活性化できる刺激値（最大刺激）がいいということになります。しかし麻酔中、ある程度

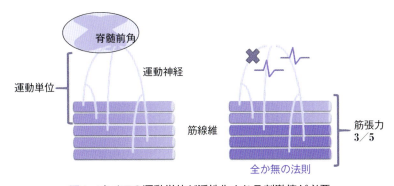

図1　すべての運動単位が活性化される刺激値が必要

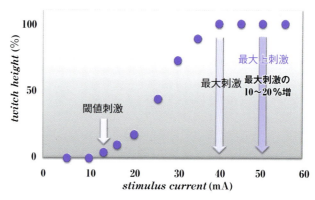

図2　刺激強度と筋収縮高の関係

の時間モニタリングするとなると、この刺激と反応の間には考慮すべき影響因子が働くことを忘れてはなりません。例えば、神経刺激部位の皮膚温や湿潤度により変化する皮膚電気抵抗はどうでしょう？　オームの法則により電気抵抗＝電圧／電流で、モニター電圧は一定ですから、抵抗変化で皮膚を伝導する電流値が変化してしまいます。麻酔導入時の患者緊張で皮膚が発汗しており、かつ麻酔薬投与により皮膚末梢血管が拡張し皮膚温が上昇した状態と、手術中に皮膚が乾燥し、末梢温が低下している状態では、必要最大電流値は厳密にいえば異なってきます。こういった影響をできるだけ回避するためにも、最大刺激よりもさらに大きい最大上刺激を適用しましょう（図2）。最大上刺激値としては、最大刺激値の1.5倍程度まで上げることもありますが、TOFウォッチ®のキャリブレーションモードでは、最大刺激の10％加算値が最大上刺激として設定されます。

　TOFウォッチ®を用いて、筋弛緩薬投与前に最大上刺激を設定すると、大部分の患者では50mAとなるようです。そのため筋弛緩薬投与後にモニタリングを開始する場合には、刺激値は50mAを使用するのがよいでしょう。

　残存筋弛緩の話題が盛り上がった時期に、麻酔からの覚醒後、PACU（麻酔後回復室）搬送後に残存筋弛緩の発生率を調査するという論文が多く見受けられました。患者は覚醒し、電気刺激を痛いと感じるわけですから、50mAで尺骨神経を電気刺激したら、痛みで腕や手指を動かすでしょう。とうてい、正確なTOF（train-of-four）比の測定など、私はできるわけがないと思っています。意識下では痛みのないよう最大下刺激の30mAで刺激すればいいという研究者もいますが、それも先に述べたとおり信頼できる測定値は得られません。同じように、抜管前のTOF比評価も、患者が完全に覚醒する前に済ませるべきでしょう。

Q65 TOFウォッチ®のキャリブレーションとは？

A 筋弛緩モニタリングにおいて、キャリブレーションとは最大上刺激となる電流値の設定と、T1値を100％に設定する操作をいいます。この操作によりデータの信頼性は格段に向上するため、研究データであれば当然実施しなければなりませんし、臨床モニターとしても患者就眠後の筋弛緩薬投与前にボタンを押すことをお勧めします。TOFウォッチ®SXには簡易な2つのキャリブレーション機能が搭載されており、CAL1とCAL2に区別されています。CAL1は刺激電流値を操作者が自分で設定して、T1値を感度調整により100％にキャリブレーションする方法で、皺眉筋などで刺激電流値を故意に決定したい場合に用います。CAL2は最大上刺激とT1値の両方をワンボタンで機械的に設定する方法で、母指や母趾ではこのモードが適しています。TOFウォッチ®SXでは初期設定はCAL2になっていますが、図1のような操作によりCAL1モードに変更が

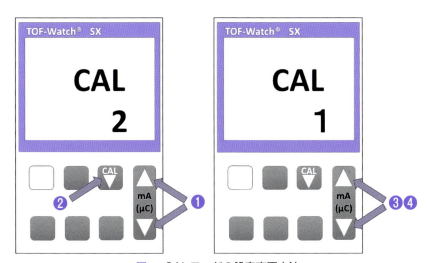

図1　CALモードの設定変更方法
❶ 設定値増減ボタンを同時に押すと、画面表示が点滅します。
❷ キャリブレーションボタンを押していき、CAL2を表示させます。
❸ 設定値増減ボタンの上下どちらかを押すと、CAL1に変わります。
❹ 設定値増減ボタンを同時に押すと、設定変更が完了します。

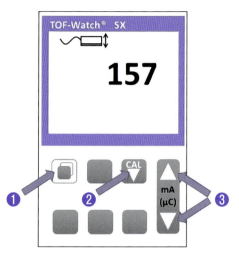

図2　手動の感度調整によるT1値設定方法
❶ 第2機能ボタンを押す。
❷ すぐにキャリブレーションボタンを押すと、画面には感度値（初期設定は157、キャリブレーション後であれば、そのつど数値は異なります）が表示されます。
❸ T1値を下げたい場合には、下矢印ボタンを押し、感度値を下げます。逆にT1値を上げたい場合には、上矢印ボタンを押して、感度値を増加させます。

可能です。TOFウォッチ®では、CAL 1のみの設定となります。

　TOFウォッチ®SXの場合、PC画面でT1値を確認しながら、感度を微調整することもできます。キャリブレーション後もstaircase phenomenon（モニター編 Q71 Staircase phenomenonとは、どのような現象なの？　の項を参照）などの要因によりT1値が100％を超えてしまうことや、逆にT1値が100％を下回ってしまうことがあります。T1値が安定した時点で再度キャリブレーションを行ってもいいのですが、図2のように手動で感度調整することで、T1値を100％に合わせることも可能です。

刺激の矩形波とか、パルス幅って、なに？

電気刺激波の形状として"矩形波"が用いられます。よく聞く言葉なのですが、意味がよく分かりませんよね。刺激開始から電気エネルギーを最大に上げ、有効な神経刺激を与えるために必要な波形なのです（図1）。電流エネルギーは、縦がパルス振幅（電気強度）、横がパルス幅（刺激時間）を表し、その面積が電気エネルギーとなります。矩形波は波形の立ち上がりが急峻で、膜電位のピークが早く得られます。三角波のように緩やかに上昇する刺激電流の場合、興奮閾値に達するのに時間を要すると同時に、通電中に興奮膜が順応し、興奮閾値が上昇してしまいます。安定した筋収縮反応を得るために、筋弛緩モニターでは神経刺激に矩形波を用いているのです。

刺激幅（パルス幅）とは"電気刺激をどのくらいの時間与えるか"を意味します。500μs未満が適しており、通常は200μsが用いられています。あまり長く刺激しすぎると、筋の直接刺激も生じやすくなります。通常、運動神経の活動電位は1ms以内、筋の活動電位もおよそ3msと、瞬時のうちに脱分極／再分極／電気的不応期の1周期を終えます。よって神経刺激幅をこの1サイクル以上の時間、例えば5msなどで長時間刺激すると、こ

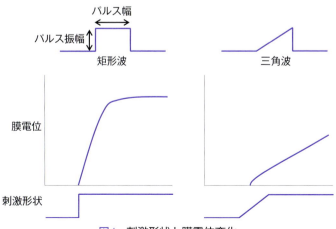

図1　刺激形状と膜電位変化

図2 刺激持続時間の設定変更方法
設定値増減ボタンの矢印を同時に押し、設定変更画面に入ります。キャリブレーションボタンを押していき、画面に200μsを表示させます。設定値増減ボタンの上下どちらかを押すと、300μsに変わります。設定値増減ボタンを同時に押すと、設定変更が完了します。

の1つの刺激内で、2回脱分極することにもつながり、神経の反復発火（double stimulation）が生じたりするため、筋収縮反応が不安定になります。逆に刺激幅が短すぎると、神経に加わる電気量［電気量（クーロン）＝電流（アンペア）×パルス幅（秒）］が減少するため、筋収縮反応が小さくなってしまいます。電流値を上げても筋収縮反応が小さいなと感じた場合には、刺激幅を300 μsに増幅させてみましょう。電気量が大きくなるぶん（60 mA×200 μs＝12 μC ➡ 60 mA×300 μs＝18 μC）、収縮反応が大きくなり、安定することもあります。パルス幅の変更方法は、図2をご参照ください。

刺激ができない場合の対処は？

　刺激ができない場合、まずは電極に刺激ケーブルが適切に接続されているかを確認してください。電極を認識できない場合には、TOFウォッチ®の画面上部に図1のようなマークが表示されます

　TOFウォッチ®では、刺激は定電流方式で出されますので、抵抗が増減するとそれに合わせて自動的に刺激電圧が増減します。オームの法則（電圧＝電流・抵抗）から、電流を一定にするための電圧と抵抗の関係はご理解いただけるでしょう。TOFウォッチ®では最大皮膚抵抗が5kΩを超えると、画面に図2のエラー表示（図1と似ていますので、ご注意ください）が出て作動停止します。この場合の原因は、皮膚抵抗が高いか、刺激電極が劣化しているかのどちらかになります。この対処法として、アルコール綿で皮膚を十分に擦って脱脂し、新規に開封した電極を貼付しなおしてください。

　図3のようなマークが出て、刺激がストップした際には、加速度トランスデューサからの信号が不安定な場合、あるいは小さすぎる場合が想定されます。トランスデューサの固定がしっかりなされているか、母指の運動が障害されていないかを確認してください。ま

図1　電極を認識できない

図2　皮膚抵抗が高い

図3　トランスデューサの信号不安定

た、手掌が固定されていない場合に、手掌ごと大きく動いてしまったり、母指とほかの指がぶつかったりする状況でも起こりえます。この場合は第1～4指までをテープで手台に固定するとか、ハンドアダプタを利用する必要があります。以上に問題がなく、筋弛緩薬投与前であれば、キャリブレーションを実施してください。

Q68 刺激されているのに、TOF比が表示されないのは？

A 図1のように刺激は出力されていて、視覚的に母指の収縮反応も確認できているにもかかわらず、画面に50mAと表示されるだけで、TOF（train-of-four）カウントやTOF比が表示されない場合があります。これは、ほとんどがトランスデューサケーブルの接続に問題があります。図2のケーブル接続部分に緩みがないかを確認してください。緩みがないにもかかわらず、表示が変わらない場合は、トランスデューサの故障か、ケーブルの断線が疑われます。新しいトランスデューサと交換して試してみてください。

図1　TOF比が表示されず、電流値が表示される場合

図2　ケーブル接続の緩み

反応値がばらつく場合の対処法は？

図1のように、反応値が常に安定しているとはかぎりません。筋弛緩薬の効果が延長しやすい症例で、学会発表用に筋弛緩モニタリングを絶対成功させなきゃと意気込んでいるときにかぎって、T1値やTOF（train-of-four）比が大きくばらついてしまうものです。図2の場合、筋弛緩効果の判定はまだしも、筋弛緩からの回復に関する評価は不可能となってしまいます。このような場合に考えられることは、

❶ 最大上刺激になっていない

図1　理想的な筋弛緩モニタリング例

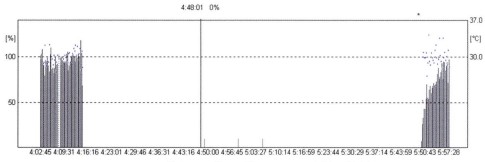

図2　T1値とTOF比のばらつきによる測定不能例

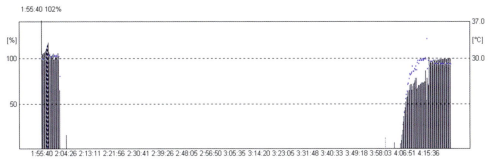

図3 皺眉筋モニタリングにおいて途中でアイパッチが貼られたケース
アイパッチを外すと測定値がきれいに回復した。

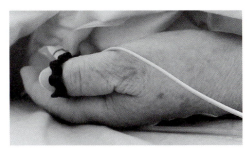

図4 母指が手掌に接触しているため加速度を正確に感知できない

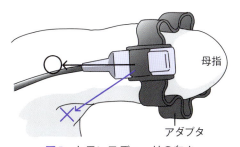

図5 トランスデューサの向き
母指の動く方向に合わせることで加速度反応を大きくとらえられる。○が運動方向の場合には、このトランスデューサの装着は正しいが、×が運動方向の場合にはその向きに合わせる必要がある。アダプタを用いることで、方向の変更は容易である。

❷ 感度値が高すぎる
❸ トランスデューサの固定が緩く、筋収縮ごとに動いている
❹ 手の固定が甘く、運動方向が一定していない
❺ 障害物により収縮が妨げられている
❻ 抜管時、患者が覚醒しており、力を入れている

などの状況が考えられます。

　筋弛緩薬投与前であれば、対処できます。まずはキャリブレーションを実施してください。キャリブレーションを施行しても反応値がぶれる場合は、トランスデューサと手の固定を再度行いましょう。図3のように、何か障害となりうるものをトランスデューサ付近に設置する必要がある場合は、キャリブレーション前に施行してください。

　高齢者でよく見られるのですが、母指球が萎縮しているケースでは、図4のように母指と手掌が接触して加速度反応がうまく測定できないことがあります。この場合、ハンドアダプタは非常に有用です。感度値が高くなりすぎる場合は、収縮運動が非常に小さいことや、トランスデューサが運動方向に向いていない（図5）ことが想定されます。収縮反応が

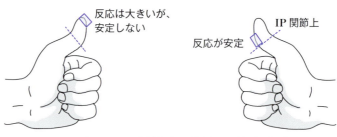

図6 トランスデューサの装着部位は指節間間節（IP）上の平坦部分

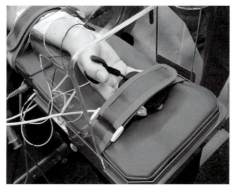

図7 研究用モニタリング装備

小さい場合にはキャリブレーションが必須となりますが、感度値が高くなりすぎ、そのぶん反応の増幅率が大きくなるために、ちょっとした加速度変化も大きく拾って、反応値のばらつきとなってしまいます。なるべく運動方向に沿ってトランスデューサを設置するようにしてください。かつ、母指の指節間関節（IP）上の平らな部分にトランスデューサを設置しましょう（図6）。母指先端に寄りすぎると、反応は大きくなるのですが、ばらつきも大きくなります。

　研究などの大事なデータの場合には、安定したデータが得られるよう、図7のように何物にも邪魔されないモニターの設置をお勧めします。

Direct stimulationとは、どのような状態なの？

　筋弛緩薬は神経筋接合部で作用します。よって終板のアセチルコリン受容体がほぼ占拠された十分な筋弛緩状態では、たとえ末梢神経電気刺激を施行しても、神経終末から放出されるアセチルコリンは終板に作用できず、ここでの化学的伝達がなされないわけですから、終板は脱分極できず、筋収縮反応は導出されません。しかし、いくら深い筋弛緩状態にあっても、筋弛緩モニターで収縮反応が感知されることがあります。この場合は、筋の直接刺激（direct stimulation）を疑わなければなりません。いくら神経筋接合部で筋弛緩薬が十分に作用していても、神経刺激電流が強すぎたり、刺激電極貼付部位と測定筋が近すぎたりする場合には、筋膜が直接的に電気刺激され、わずかに筋収縮を誘発することがあります。まさに筋弛緩状態下に電気メスで切開や凝固する際に、近傍の筋肉が収縮する原理といっしょです（昔、この電気的筋収縮を見て、筋弛緩が効いていないと曰う無知な外科医がいましたが……最近はいないですか？）。この直接刺激で反応が出ている場合には、過量に筋弛緩薬を追加投与してもTOF（train-of-four）カウントは消失しませんし、この間はTOFウォッチ®ではポストテタニックカウント（post-tetanic count：PTC）刺激もできなくなります。これはテタヌス刺激の前に1Hzの単収縮テスト刺激が15回なされますが、ここで反応が5回感知されると、その後のテタヌス刺激が自動的に中止されるためです。ほかのモードでまずテタヌス刺激を行い、その後に1Hzの単収縮刺激を加えたとしても、当然すべての単収縮刺激に反応しますので、PTCとして深部遮断の程度は判定できません。この筋直接刺激が疑われた際には、刺激電流を少し減じたり、刺激電極を測定筋から可能なかぎり離してみるのがいいでしょう。皺眉筋での測定時には、筋への直接刺激が生じやすいので、これを避けるために最初から30mA以下の刺激電流を用いるのが普通です。

　筋の直接刺激とは異なりますが、筋弛緩薬が十分に投与された状態でもTOFカウントが0にならない別の状況もあります。それは筋萎縮や末梢神経障害などの患者因子や、刺激電極の不適切位置や乾燥化、高い皮膚抵抗、トランスデューサの設置不備などのモニター因子が原因となり、筋収縮反応が小さすぎる場合に起こります。この際、キャリブレーショ

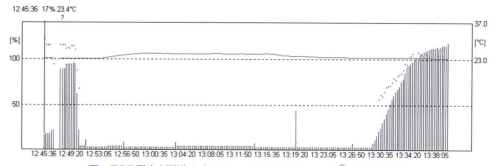

図　TOF反応が消失しないケースのTOFウォッチ®SXの実測図
　筋弛緩薬を十分量投与してもTOF反応が消失しない。筋収縮反応が小さいために、感度値を大きくせざるをえないケースで生じやすい。筋の直接刺激の場合も、同様にTOF反応が残る。

ンによる感度増幅によって対処してしまうと、結果として感度が高すぎるため、筋弛緩効果が十分に発揮されているにもかかわらず、TOFカウント4と数値が表示され続けることがあります（図）。この場合、筋弛緩薬を投与してしまったあとの有効な対処法はありません。手動で感度値を下げることはできますが、T1値を100％に整えたキャリブレーションの意味合いがなくなり、下げすぎれば筋収縮反応が拾えなくなってしまいます。深部遮断の程度を判定するPTCも使用できません。よって、収縮反応が小さい場合や反応値が安定しない場合には、筋弛緩薬投与前にモニター設置状態を再確認することが肝要です。

Staircase phenomenonとは、どのような現象なの？

神経刺激開始時、筋の収縮反応が階段状に徐々に大きくなっていく現象を指します（図1）。これは筋における興奮収縮連関の亢進や、筋細胞内のカルシウムイオンの蓄積効果による反応と説明されています。筋弛緩薬を投与しない状態でTOF（train-of-four）刺激を15秒ごとに繰り返し加えた場合、反応は時間経過とともに徐々に大きくなり、T1の安定化に約10分を要する[1]ことが分かっています。この時間を十分に取らず、staircaseの途中で筋弛緩薬を投与してしまうと、筋弛緩からの回復を観察する際に、図2のようにT1が100％を大幅に超えてしまう結果につながり、回復時間の測定が不正確になってしまいます。筋弛緩薬投与前にこの反応をなるべく早期に安定化させるには、下記のように筋が十分に収縮するようテタヌス刺激を応用します。臨床モニターとして使用する場合には必要ありませんが、研究結果の論文化を目指す場合には必須の操作となります。データの信頼性をアピールするうえで、論文のメソッド欄にも記載が必要です。母指内転筋と異なり、皺眉筋の場合はこの現象が顕著でないので、テタヌス刺激は必

図1　筋弛緩薬投与前のstaircase phenomenon

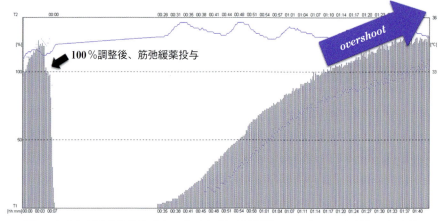
図2 十分な刺激時間を取らない場合には、回復期にT1が100%を超えてしまう

要なく、TOF刺激とキャリブレーションで早期に安定化が図れます。
❶ TOFウォッチ®SXを設置し、電源ONにする。
❷ 刺激強度50mAでTOF刺激を開始し、誘発反応が得られることを確認する。
❸ TOF刺激を終了し、50Hzテタヌス刺激を5秒間加える。
❹ テタヌス刺激による手の固定位置のずれを修正する。
❺ 1～2分間、再度TOF刺激し、反応の安定化を観察する。テタヌス刺激後増強反応の発現により、その後、刺激ごとに反応が小さくなる現象が認められる場合には、その安定を待つ。
❻ TOF刺激を終了し、キャリブレーションモードを作動させ、最大上刺激を設定するとともに、T1値を100%に合わせる。
❼ TOF刺激を再開する。
❽ 2～3分測定値を観察し、T1値に大きな変動がなければ筋弛緩薬を投与する。

●文献
1) Suzuki T, Fukano N, Kitajima O, et al. Normalization of acceleromyographic train-of-four ratio by baseline value for detecting residual neuromuscular block. Br J Anaesth 2006；96：44-7.

Q72 TOF比のノーマリゼーションとは、どういう意味?

ノーマリゼーションとは、筋張力感知型（mechanomyography：MMG）や電位感知型（electromyography：EMG）モニターではまったく必要のない操作で、TOFウォッチ®SXのような加速度感知型（acceleromyography：AMG）筋弛緩モニターが研究に用いられるようになり、一般化してきた言葉です。筋弛緩薬投与前にAMGでTOF（train-of-four）刺激を施行すると、T1からT4にかけて漸増し、TOF比はモニター表示で100％以上となります。これは加速度トランスデューサの特性であり、MMGやEMGモニターでは認められない現象です（図）。機器の特性以外に、ハンドアダプタなどで手指の位置を固定すると、この現象が軽減することから、TOF刺激中に母指の位置が元に戻らない状態で次の刺激がなされるためとも考えられます。これが、なんの問

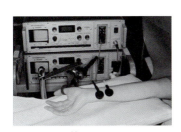

TOF比（T4/T1）＝1

TOF比（T4/T1）＞1

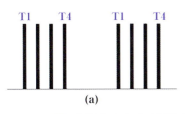

図　MMG（a）とAMG（b）のTOF反応の違い（非筋弛緩下）

題になるのでしょうか？

　実は、筋弛緩からの回復を判定する際に支障になるのです。最近は至適回復の基準が厳密化され、TOF比＞0.9が必要となっています。この値はMMGやEMGで測定されたTOF比をもとに設定されています。つまりMMGではTOF比がコントロール（1.0、つまり100％）の90％を超えて回復すれば十分といえるのですが、AMGのコントロールの平均TOF比は約110％ですので、90％回復というとモニター表示で99％（＝110×0.9％）ということになります。しかしながら、AMGでは100％をもって回復と見なさなければなりません。さらに理想的、あるいは正確に評価するには、個々の患者のコントロールTOF比ごとに至適回復値（＞コントロールTOF比×0.9）を求めなければなりません。この操作をノーマリゼーションといいます。本来はコントロール値を必要とせず、筋弛緩薬投与後にモニタリングを開始してもTOF比は評価可能というのがTOF刺激の利点であったのですが、厳密にいうとコントロールが必要ということになります。研究論文の掲載にあたっては、データのノーマリゼーション施行の有無を求められることが多いです。簡易なTOFウォッチ®（SX以外）ではアルゴリズムを変更し、TOF比の算出をT4/T1でなく、T4/T2とし、＞100％となりにくいようにしています。

TOFウォッチ®に皮膚温計が付いている理由は？

体温が筋弛緩薬の効果に影響することはご存知だと思います。同じように測定筋温度の保持は、安定した筋弛緩モニタリングにとって非常に重要なのです。筋温測定は臨床的には容易ではないため、その筋上の皮膚温を測定していますが、筋温＞皮膚温で一定の差があるものの、増減の推移方向は一致しますので、簡易的に測定できる皮膚温が利用されています。低体温になれば、筋弛緩薬の代謝、排泄が遅れるため、作用持続時間や回復時間が遅延しますし、筋弛緩薬が投与されていない状況にあっても、筋の温度変化で振幅や収縮高が変化します。例えば、筋電図型モニタリングの場合には、測定筋の温度が低下すると筋電図振幅が増幅します。一方、筋張力感知型あるいは加速度感知型モニターの場合には、皮膚温が32℃を下回ると、筋収縮高が減少したり、TOF比が減少したりしてしまいます。よって、コントロールを記録した時点の筋温、皮膚温を保持できれば、その後の収縮高計測にとっては理想的なのです。研究条件を一定にするには積

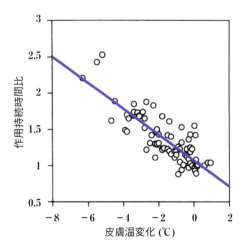

図 母指球筋上皮膚温変化と作用持続時間の増加度の関係

[Suzuki T, Kitajima O, Watanabe A, et al. Duration of vecuronium-induced neuromuscular block can be predicted by change of skin temperature over the thenar muscles. J Anesth 2004；18：172-6より改変転載]

極的に保温し、母指の場合では皮膚温を32℃以上に維持する必要があります。皺眉筋は顔面筋で中枢に位置するため、体温が適切に維持できていれば皮膚温が低下することはまれです。実際、母指球筋上皮膚温の変動とベクロニウムの作用持続時間の関連性を調査した結果では、皮膚温が2℃下がると作用持続時間は1.5倍に延長します（図)[1]。

　体温と並行して皮膚温が変動しているのであれば、筋弛緩薬の全身性効果はモニタリングから推定できますが、例えば、末梢循環不全の結果、中枢温は保たれていても、末梢の皮膚温が有意に低下している場合、中枢筋と末梢筋では予想以上に筋弛緩効果が異なっている可能性があることにも注意が必要です。

　モニターの種類が異なると、筋温変化の影響も異なります。例えば筋電図型モニターの場合には、筋温が低下すると反応が大きくなり、筋張力型あるいは加速度感知型モニターとは逆に変化することを知っておいてください。

●文献
1) Suzuki T, Kitajima O, Watanabe A, et al. Duration of vecuronium-induced neuromuscular block can be predicted by change of skin temperature over the thenar muscles. J Anesth 2004；18：172-6.

筋弛緩薬の薬力学的評価のための測定項目は？

A　筋弛緩薬の薬力学研究時には、よく測定される時間項目を知っておく必要があります（図）。以下の項目の意味を知ったうえで、研究に合った指標を選択してください。

Ⅰ　作用発現時間

　筋弛緩薬投与後から最大抑制効果が得られるまでの時間。通常は完全遮断が得られるような投与量を設定しますが、完全遮断にならない場合には、同じ抑制率で安定したことを確認しなければなりませんので、3回続いて同じ抑制率が得られた時点を最大抑制率として、作用発現時間を計算します。作用発現時間は筋弛緩薬をいかに体循環内に早く送り込むかが重要になりますので、静脈ライン内に筋弛緩薬を投与する際は、クレンメを全開にし、輸液投与速度は最大にしておきましょう。

Ⅱ　作用持続時間

筋弛緩薬投与後から下記のような筋弛緩程度までの作用持続時間。

❶ 深部遮断が測定項目の場合：ポストテタニックカウントが再出現するまでの時間。

❷ 中等度筋弛緩が測定項目の場合：TOF（train-of-four）カウント再出現までの時間、TOFカウント2までの時間、T1がコントロールの10％回復までの時間、T1がコン

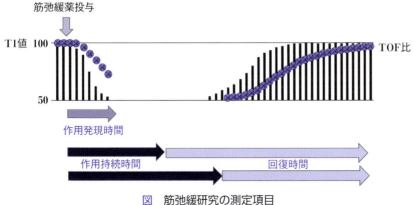

図　筋弛緩研究の測定項目

トロールの25％回復までの時間などの項目から、研究に適切な指標を選択してください。最近はTOFカウント2（T1が10％程度回復に相当します）までの時間が使用されていることが多いようです。T1値を指標にすると、手やトランスデューサのずれなどのために、T1が最終的に100％に戻らなかったり、逆に100％以上になってしまったりすると、T1が10％とか25％までの時間という指標の正確性が問題になったり、ばらつきが大きくなったりすることから、使用頻度が減っているものと推察されます。

III　回復時間

❶ 回復指数：T1がコントロールの25％から75％回復までの時間を測定します。自然回復の際に用いられ、回復の特徴を比較するうえで有用です。上記"作用持続時間"の項でも述べましたが、T1値から測定する指標は取り扱いが煩雑になりやすいのが欠点です。

❷ 一定の回復時点、例えば、一定の深部遮断や中等度筋弛緩状態から、TOF比0.9までの回復時間：TOFウォッチ®SXの場合には、筋弛緩薬投与前のコントロールTOF比でノーマリゼーションしたTOF比の90％までの回復時間、あるいはノーマリゼーションしない場合にはTOF比1.0までの時間が推奨されます。どちらにしても研究発表時には、この評価方法を明示しなければなりません。TOF減衰を示す非脱分極性筋弛緩薬の自然回復、あるいは拮抗薬による回復の評価に用います。スキサメトニウムの場合は、単収縮刺激あるいはTOF刺激ではT1を指標に、90％回復や100％回復までの時間を測定します。

IV　用量反応曲線を求める研究の場合

ある条件下でロクロニウムのdose-responseを測定・比較する場合、神経筋遮断に至るまで0.05〜0.1mg/kg量など少量ずつ累積投与するという方法は適しません。中時間作用性のロクロニウムの場合、少量ずつ累積投与し、安定した抑制率を待つ間に、同時に回復も生じてきます。つまり、累積投与法で算出された有効投与量のほうが、1回投与法と比較して、より大きな値になってしまいます。したがって、一人の患者では一用量のみの測定とすべきなのです。長時間作用薬であれば累積投与法で評価できますが、現在使用できる長時間作用性筋弛緩薬は存在しません。

TOFカウント消失＝挿管のタイミングじゃないの？

殊勝な方は麻酔導入前に筋弛緩モニターのセッティングを済ませ、患者就眠とともにモニタリングをONにして、筋弛緩作用発現と気管挿管のタイミングをモニタリングしていることでしょう。その際、TOF（train-of-four）刺激を施行していると思いますが、TOFカウント0を待って、気管挿管操作を開始していますか？　気管挿管時の筋弛緩状態に関するポイントについて考えてみましょう。気管挿管スコアの項（薬理編Q16気管挿管スコアとは？）を参照していただきたいのですが、気管挿管時には呼吸筋群、特に咬筋、喉頭筋および横隔膜の筋弛緩が得られている必要があります。開口、声帯開大および挿管後の咳反射抑制のためです。呼吸筋への血流は末梢筋に比較して多いので、筋弛緩作用が発現し出すまでのタイムラグは短いはずですが、呼吸筋には本来respiratory sparing effectが備わっていますので、母指内転筋などの末梢筋とは筋弛緩の強さが異なります。もしロクロニウム0.6 mg/kgを挿管量として用いた場合はどうでしょう？　モニタリングしている母指内転筋のロクロニウムのED_{95}（95％有効量）は0.3 mg/kgですから、ED_{95}×2倍量が投与されていることになります。つまり、母指内転筋にとっては十分な遮断量ということになります。

横隔膜や喉頭筋にとっても0.6 mg/kgは十分量なのでしょうか？　横隔膜の筋弛緩効果発現は確かに速いはずですが、横隔膜におけるロクロニウムのED_{95}は0.5 mg/kgですから、0.6 mg/kg投与後にも横隔膜が完全遮断されないケースも結構、存在するはずです（図1）。気管挿管時には、少なくとも呼吸筋のED_{95}×2倍量、つまりロクロニウムであれば1 mg/kg量が必要になるのです。この量を用いれば、呼吸筋の筋弛緩効果は母指内転筋より速く現れ、かつ確実に完全遮断が得られることになります。よって、十分量のロクロニウムが投与されているときにかぎり、母指内転筋のTOF反応消失が気管挿管の至適タイミングとなりうるのです。

横隔膜や喉頭筋の筋弛緩状態を測定するのは容易ではないため、呼吸筋における筋弛緩推移と同等の推移を示す皺眉筋でのデータを示します（図2）が、ロクロニウム1 mg/kg投与から筋弛緩効果が発現し出すまでのタイムラグと、投与から完全遮断が得られるまで

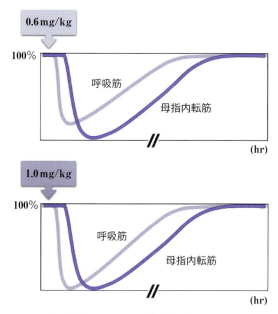

図1　ロクロニウム投与量による母指内転筋と呼吸筋の筋弛緩効果の違い

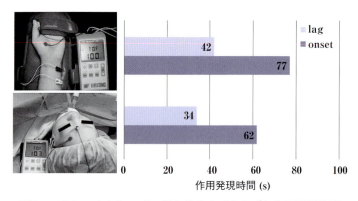

図2　ロクロニウム1mg/kg投与後のタイムラグと作用発現時間
[Suzuki T, Mizutani H, Miyake E, et al. Infusion requirements and reversibility of rocuronium at the corrugator supercilii and adductor pollicis muscles. Acta Anaesthesiol Scand 2009；53：1336-40のデータをもとに作成]

の作用発現時間は、母指内転筋に比較して皺眉筋で有意に速くなります[1]。このことからもロクロニウム1mg/kg投与時には、母指の筋弛緩は安全な気管挿管の指標となることが理解されます。

●文献

1）Suzuki T, Mizutani H, Miyake E, et al. Infusion requirements and reversibility of rocuronium at the corrugator supercilii and adductor pollicis muscles. Acta Anaesthesiol Scand 2009；53：1336-40.

Q76 作用発現時間は、神経刺激法によって変化するの？

筋弛緩薬の作用発現時間とは、筋弛緩薬の投与完了時点から最大遮断が得られるまでの時間を意味します。筋弛緩薬の作用発現時間に影響する因子として、投与量、心拍出量や筋血流量などの循環因子、プライミングテクニックなどが挙げられますが、これ以外に作用発現を計測するための筋弛緩モニターによる末梢神経の刺激頻度が関係してきます。

例えば同一患者で、10秒に1回（0.1Hz）の単収縮刺激を一側上肢に加え、同時に1秒に1回（1Hz）の単収縮刺激を対側上肢に加えた場合、筋弛緩薬を投与すると1Hz刺激側で早く遮断されます。これは実は循環の影響によるもので、刺激頻度が高いほうがより筋血流量が増えるためです。よって作用発現時間を比べる研究では、刺激法、刺激頻度、コントロールの刺激時間を同一に設定しなければなりません。

しかし刺激法の違いぐらいで、統計学的に有意になるような大差は生じないだろうと疑われる方も少なくはないと思います。そこで、刺激法のちょっとした差が、筋弛緩薬の作用発現時間に影響するという実例を示しましょう。

まずは刺激頻度に関してですが、先ほど例に挙げたような0.1Hzと1Hzといった大きな差ではなく、0.1Hzと0.15Hzというあまり差がないように思える刺激頻度で単収縮刺激を両上肢に継続した際の結果です。10分間コントロール刺激を与えたあとのロクロニウムとシスアトラクリウムの作用発現時間ですが、図1に示すよう0.15Hz刺激を加えた肢で有意に早くなっています[1]。それも、われわれが使い慣れたロクロニウムで30秒ほどの差が生じるとは、皆さん、びっくりしませんか？ 次はコントロール刺激時間の影響ですが、刺激時間依存性にロクロニウムの作用発現が短縮します（図2）[2]。

最後に、作用発現時間以外にも影響される事象、用量反応曲線への影響をお示しします。単収縮刺激とTOF（train-of-four）刺激を同じ10秒間隔で与え、ロクロニウムを少量ずつ投与した際の単収縮高とT1高の抑制率を比較すると、図3のようにTOF刺激のほうがより用量反応曲線が強く現れます[3]。この結果から計算されたED$_{95}$（95％有効量）は、当然、TOF刺激のほうが小さくなります（305μg/kg vs 257μg/kg）。総刺激数の多いTOF刺激

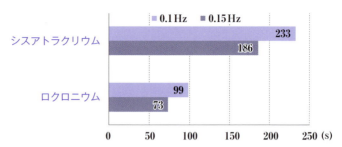

図1 ロクロニウム0.74mg/kg、シスアトラクリウム0.092mg/kg投与時の作用発現時間
[Eikermann M, Peters J. Nerve stimulation at 0.15Hz when compared to 0.1Hz speeds the onset of action of cisatracurium and rocuronium. Acta Anaesthesiol Scand 2000；44：170-4のデータをもとに作成]

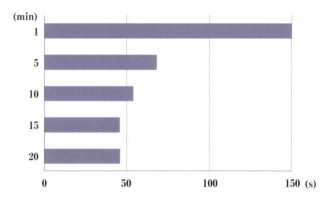

図2 コントロール刺激時間の影響：ロクロニウム0.6mg/kgの作用発現時間
[Symington MJ, McCoy EP, Mirakhur RK, et al. Duration of stabilization of control responses affects the onset and duration of action of rocuronium but not suxamethonium. Eur J Anaesth 1996；13：377-80のデータをもとに作成]

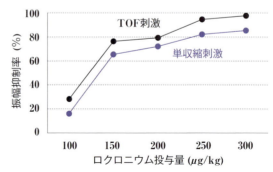

図3 ロクロニウムの用量反応曲線：刺激法の違いによる差
[Cooper RA, Mirakhur RK, Elliott P, et al. Estimation of the potency of ORG 9426 using two different modes of nerve stimulation. Can J Anesth 1992；39：139-42のデータをもとに作成]

のほうで筋血流量がより増加し、それに伴いロクロニウムの運搬量が増大するためと考えられます。

●文献
1) Eikermann M, Peters J. Nerve stimulation at 0.15 Hz when compared to 0.1 Hz speeds the onset of action of cisatracurium and rocuronium. Acta Anaesthesiol Scand 2000;44:170-4.
2) Symington MJ, McCoy EP, Mirakhur RK, et al. Duration of stabilization of control responses affects the onset and duration of action of rocuronium but not suxamethonium. Eur J Anaesth 1996;13:377-80.
3) Cooper RA, Mirakhur RK, Elliott P, et al. Estimation of the potency of ORG 9426 using two different modes of nerve stimulation. Can J Anesth 1992;39:139-42.

ポストテタニックカウントのメカニズムは？

ポストテタニックカウント（post-tetanic count：PTC）刺激は、テタヌス刺激後増強（post-tetanic facilitation）理論を応用した刺激法で、深部遮断時に応用されます。深部遮断状態から中等度筋弛緩状態に回復するまで、つまりTOF（train-of-four）刺激に反応するまでの回復時間を予測するためのモードとして開発されました[1]。図1にはロクロニウム筋弛緩時のPTCとTOFカウント発現までの時間の関係を示していますが、PTCが5であれば、それから約5分経過したあとにTOF刺激に反応し始めるだろうと予測がつきます[2]。もちろん筋弛緩薬の種類によって回復時間は異なります。抗コリンエステラーゼにより拮抗していた時代には、深部遮断中にはリバースができませんでしたから、あとどのくらいの時間を待てば拮抗薬を投与できるかが分かりますので安心できるわけです。ほかには、喀痰を吸引したい、でも咳反射が出ては困るという状況にも応用でき、PTC≦5であれば患者体動を抑止できることになります[3]。スガマデクスが使えるようになり、腹腔鏡手術などでは術野環境を良くするために、あえて深部遮断を維持することも増えてきました。

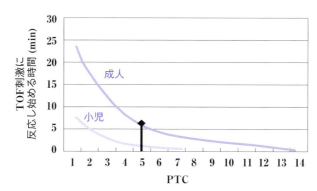

図1　ロクロニウム作用時のPTCとTOF刺激に反応するまでの時間の関係

[Baykara N, Woelfel S, Fine GF, et al. Predicting recovery from deep neuromuscular block by rocuronium in children and adults. J Clin Anesth 2002 ; 14 : 214-7のデータをもとに作成]

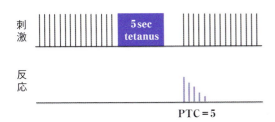

図2 ポストテタニックカウント（PTC）刺激法

図3 TOFウォッチ®によるポストテタニックカウント（PTC）表示

深部遮断時には、PTC刺激が唯一、筋弛緩深度を評価できる刺激法になります。TOFウォッチ®ではPTCボタンを押すと、まず1Hzの単収縮刺激が15回与えられます。そこでトランスデューサで反応が感知されないと、引き続き50Hz、5秒間のテタヌス刺激が与えられます。そして、その3秒後より再度1Hz単収縮刺激が加えられ（図2）、その際の加速度反応数がPTCとしてディスプレイに表示されます（図3）。

それでは、このPTCにはどのような生理メカニズムが応用されているのでしょうか？テタヌス刺激により神経終末内に流入したCa^{2+}が作用し、アセチルコリンシナプス小胞が貯蔵部位より動員され、放出型の小胞となり、神経末端の活性帯に移動します。次に与えられる単収縮刺激時には、テタヌス刺激前に比較して大量のアセチルコリンが神経筋接合部に開口分泌されますので、終板において競合が生じ、一時的にアセチルコリンが受容体を占拠することになり筋収縮が起こります。しかし、テタヌス刺激で動員されたシナプス小胞数には限りがありますので、刺激ごとにアセチルコリン放出量が減っていき、最終的には筋弛緩薬が受容体を再度占拠することで、筋収縮が見られなくなります。ほかにPTCに関わる機序として、テタヌス刺激によりその周囲の血流が増加することで、筋弛緩薬が神経筋接合部から一時的にwashoutされることも推定されます。

PTC刺激の注意点を挙げておきます。TOF刺激中にPTCボタンを押した場合、PTC測定の12秒後には自動的にTOF刺激に戻りますので、よそ見している間にPTC表示を見逃さないよう注意してください。TOFウォッチ®では、次のPTC刺激は2分間空けないと刺激できないようになっていますので……。実はPTC刺激やテタヌス刺激は、あまり頻回に与えてはいけないことになっています。本来であれば、6分以上間隔を空けることが推奨されています[4]が、これはテタヌス刺激後増強反応により、テタヌス刺激を与えて

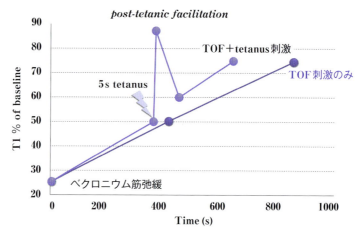

図4 テタヌス刺激後増強反応が擬似的回復状態を作ってしまう可能性

[Brull A, Silverman DG. Tetanus-induced changes in apparent recovery after bolus doses of atracurium or vecuronium. Anesthesiology 1992；77：642-5のデータをもとに作成]

いる側でのみ回復が速まる[5]ことにつながってしまうからです（図4）。

● 文献

1) Viby-Mogensen J, Howardy-Hansen P, Chræmmer-Jørgensen B, et al. Posttetanic count (PTC)：A new method of evaluating an intense nondepolarizing neuromuscular blockade. Anesthesiology 1981；55：458-61.
2) Baykara N, Woelfel S, Fine GF, et al. Predicting recovery from deep neuromuscular block by rocuronium in children and adults. J Clin Anesth 2002；14：214-7.
3) Werba A, Klezi M, Schramm W, et al. The level of neuromuscular block needed to suppress diaphragmatic movement during tracheal suction in patients with raised intracranial pressure：A study with vecuronium and atracurium. Anaesthesia 1993；48：301-3.
4) Howardy-Hansen P, Viby-Mogensen J, Gottschau A, et al. Tactile evaluation of the posttetanic count (PTC). Anesthesiology 1984；60：372-4.
5) Brull A, Silverman DG. Tetanus-induced changes in apparent recovery after bolus doses of atracurium or vecuronium. Anesthesiology 1992；77：642-5.

主観的評価と客観的評価の違いは？

　筋弛緩モニタリングの種類の分類なのですが、主観的あるいは定性式モニターと、客観的あるいは定量式モニターに大別されます。言葉からお分かりのように、TOFウォッチ®などのTOF（train-of-four）比を測定値として計測し、その値から筋弛緩作用の効果、残存を客観的に評価できる機器を客観的モニターといいます。それに対し、末梢神経電気刺激により誘発された筋反応を検者が視覚的あるいは触覚的にとらえることを主観的評価といい、モニターというよりは簡易的な末梢神経刺激装置（図1）を用いた評価法です。手術中、筋弛緩維持には調節する深度によってTOFカウントや、ポストテタニックカウントを用いて、筋弛緩薬の投与が行われますが、その際には主観的評価であっても十分に対応が可能であり、実際には尺骨神経刺激時の母指の内転反応を見たり、触って感じたりして動きを評価します。臨床的には、これだけでも深部遮断であったり、中等度筋弛緩であったりと、筋弛緩深度の評価は可能です。しかし至適回復の評価となると、主観的には絶対に適確な評価はできません。

　例えば、尺骨神経をTOF刺激し、母指内転反応で減衰（フェード）反応を評価するとします。筋弛緩の部分遮断の程度が強い場合には減衰を容易に観察できますが、実際に測定したTOF比がいくつ以上になると、主観的には減衰を触知できなくなるでしょうか？

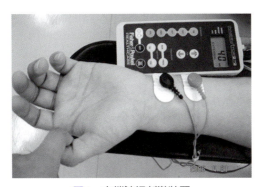

図1　末梢神経刺激装置

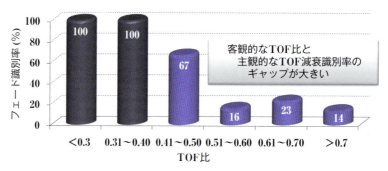

図2 TOF比とTOF減衰識別率の関係
[Viby-Mogensen J, Jensen NH, Engbaek J, et al. Tactile and visual evaluation of the response to train-of-four nerve stimulation. Anesthesiology 1985；63：440-3 のデータをもとに作成]

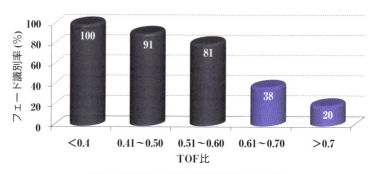

図3 TOF比とDBS減衰識別率の関係
[Drenck NE, Ueda N, Olsen NV, et al. Manual evaluation of residual curarization using double burst stimulation：A comparison with train-of-four. Anesthesiology 1989；70：578-81のデータをもとに作成]

図2に示すように、筋弛緩モニタリングに精通した者でさえ、実際のTOF比が0.4を超えて回復している場合には減衰反応を感じることができません[1]。刺激頻度を高めれば、どうでしょう？ 例えば、ダブルバースト刺激（double-burst stimulation：DBS）であれば、TOF刺激と比べより減衰を感じやすくなりますが、実際のTOF比が0.6を超えてしまうと、DBSでもやはり減衰を触知することは困難になります（図3）[2]。

よって、TOF比＞0.9は主観的にはとうてい評価できず、客観的にTOF比の定量的モニタリングを行うしかないのです。

●文献
1) Viby-Mogensen J, Jensen NH, Engbaek J, et al. Tactile and visual evaluation of the response to train-of-four nerve stimulation. Anesthesiology 1985；63：440-3.
2) Drenck NE, Ueda N, Olsen NV, et al. Manual evaluation of residual curarization using double burst stimulation：A comparison with train-of-four. Anesthesiology 1989；70：578-81.

Q79 TOF比の評価にコントロールが いらないとは、どういう意味？

A　持続的な神経刺激法には、単収縮刺激とTOF（train-of-four）刺激があります。単収縮刺激の場合には、0.1Hzあるいは1Hzで用いるのが普通ですが、1Hz刺激は主に作用発現の速い筋弛緩薬の作用発現時間の判定に用い、麻酔中を通じて持続的に刺激する場合には0.1Hz（10秒に1回の刺激）を用います。筋弛緩薬投与前の収縮高をコントロール値として100％に設定し、それが何％に抑制されたか、回復時には何％まで回復したかを判定します。作用発現時間とともに、作用持続時間、回復指数の測定に有用ですが、筋弛緩薬投与前にしっかりとコントロール値100％を設定することが必須となります。よって、麻酔導入時にコントロール値を設定せず、維持期、回復期のみをモニタリングする場合には、単収縮刺激では評価できません。

　TOF刺激の場合も単収縮刺激と同様に、コントロール値、つまりT1を100％に設定しなかった場合には、T1値を指標にする作用持続時間や回復指数の正確な評価はできません。しかし、TOF刺激の最大の利点は、TOF比を計測できる点にあります。別項で解説したstaircase phenomenon（モニター編 Q71 Staircase phenomenonとは、どのような現象なの？　の項を参照）のため、TOF刺激開始時に収縮高は徐々に増加していきます。この間もT1からT4まで、すべてが同率に増高しますので、TOF比には変化がありません（図）。TOF比はT1値が事前に100％に設定されていなくとも、TOFウォッチ®ではTOF反応が確認されればTOF比を計算してくれます。よって、筋弛緩からの回復時のみにモニタリングを行う場合でも、TOF比を計測すれば臨床的に問題のない回復評価が可能です。時にキャリブレーションがなされていない場合、感度の問題で4発収縮が十分に確認できる状態でもTOFカウントしか表示されないことはあります。その場合には収縮が十分に回復した状態で、キャリブレーションを行ったのち、再度TOF刺激を与えてみてください。TOF比が表示されるはずです。

　TOFウォッチ®では、臨床的に使用しやすいようにアルゴリズムが変えられており、T4/T2によりTOF比が計算されます。よって、非筋弛緩状態ではTOF比≒1.0となりますが、研究仕様のTOFウォッチ®SXであれば実測値が表示される結果、モニターの特性

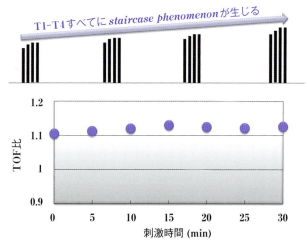

図　神経刺激開始時のstaircase phenomenonの間でもTOF比は一定である

上T1からT4にかけて漸増しますので、TOF比＞1.0となります。よって、回復評価時のみTOF比を測定するのであれば、TOF比1.0を至適回復とすべきでしょう。これを厳守すれば、TOF比のコントロール値はなくてもよいといえます。

TOF比＞0.7が、至適回復のgold standardだったはず？

筋張力型筋弛緩モニターを用いて母指内転筋からTOF（train-of-four）比を導出した場合、TOF比が0.7を超えて回復すると肺活量や吸気圧が筋弛緩薬投与前の対照値と有意差がない程度に回復する（図1）ことが、1975年にAliら[1]）によって報告されて以来、この0.7が呼吸運動の安全性を担保できるTOF比として、非脱分極性筋弛緩からの至適回復のgold standardとなりました。筋弛緩モニタリングが盛んでない時代、つまり筋弛緩からの回復を臨床症状により判断していた時代には、呼吸状態がもっとも重要な因子であったわけですから、TOF比＞0.7がゴールであったこともうなずけます。呼吸筋は、ほかの末梢筋に比較して筋弛緩からの回復は速いので、母指でTOF比＞0.7であれば、当然、呼吸機能はフルパワーを発揮できる状態というわけです。しかし、これはあくまで呼吸を担う横隔膜、肋間筋の機能を担保する指標であり、そのほかの筋群の筋弛緩程度や軽度の残存筋弛緩が影響する生理機能については考慮されていませんでした。

1990年代以降、TOF比＞0.7という線引きが甘いことを示唆する報告がなされました。

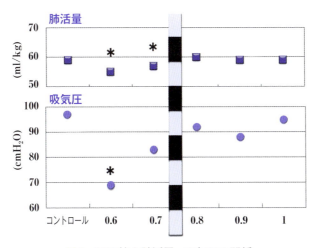

図1 TOF比と肺活量、吸気圧の関係

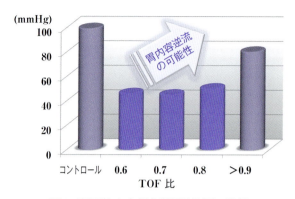

図2　TOF比と上部食道括約筋圧の関係

　例えば、TOF比0.7では、高二酸化炭素血症による呼吸促進反応は正常であるものの、頸動脈体神経型ニコチン性アセチルコリン受容体の遮断によって、低酸素性呼吸促進ドライブがいまだかからないこと[2]、上部食道括約筋圧が不十分で半分にも満たず（図2）、胃内容逆流時の防御機構が失われていること[3]、口腔内容物の円滑な流れのために必要な咽頭括約筋と食道括約筋の収縮協調性が失われており、喉頭への誤流入が生じる[3]といったことです。これらの現象は、TOF比＞0.9ですべて回復することが分かっています。その後、0.7＜TOF比＜0.9の軽度の残存筋弛緩が及ぼす悪影響、例えば低酸素血症、上気道閉塞、肺炎や無気肺という呼吸器合併症の増加、視機能や表情筋障害などの患者不快なども加わり、TOF比＞0.9という新しい指標が適切であることが認められるようになりました。

　TOF比0.9という値ですが、注意しなければならないことがあります。この0.9とは筋張力感知型筋弛緩モニター（mechanomyography：MMG）で記録されたデータです。MMGの場合、筋弛緩薬投与前のベースラインTOF比は0.9～1.0となり、まず1.0を超えることはありません。それに対し、加速度感知型モニター（acceleromyography：AMG）であるTOFウォッチ®SXではベースラインTOF比はほとんどが1.0以上、平均すると1.1程度になることが多いのです。つまりAMGに表示されたTOF比が0.9の時点では、ベースライン値1.1から顧みると、実質0.8であり、いまだ回復途中ということになります。AMGの場合は、残存筋弛緩を正確に回避するためには、ベースライン値によるノーマリゼーションを要するため、TOF比＝1.0が至適回復を意味します。

●文献

1) Ali HH, Wilson RS, Savarese JJ, et al. The effect of tubocurarine on indirectly elicited train-of-four muscle response and respiratory measurements in humans. Br J Anaesth 1975；47：570-4.
2) Eriksson LI, Lennmarken C, Wyon N, et al. Attenuated ventilator response to hypoxemia at vecuronium-induced partial neuromuscular block. Acta Anaesthesiol Scand 1992；36：710-5.
3) Eriksson LI, Sundman E, Olsson R, et al. Functional assessment of the pharynx at rest and during swallowing in partially paralyzed humans. Simultaneous videomanometry and mechanomyography of awake human volunteer. Anesthesiology 1997；87：1035-43.

ダブルバースト刺激とは？

ダブルバースト刺激（double-burst stimulation：DBS）は、客観的な筋弛緩モニターが普及していない時代、つまり末梢神経刺激装置で母指の動きを視覚的あるいは触覚的に減衰を感知し、筋弛緩薬の効果残存を評価していたころ、TOF（train-of-four）刺激より残存筋弛緩に鋭敏な刺激法として開発されました[1]。これは2つの短い50 Hz-テタヌス（バースト）刺激を750 ms間隔で加える刺激法（図1）で、各テタヌス刺激は20 ms間隔の2～3つの刺激より成ります（$DBS_{3,3}$モードは各バーストが3つの刺激より構成されますが、$DBS_{3,2}$モードは後半のバーストが2つの刺激より構成されます）が、テタヌス刺激中の筋収縮反応は視覚的にも、触覚的にも、1つに感じられます。1つのテタヌス刺激による筋の収縮持続時間は400～500 msと推定されますので、前後のテタヌス刺激のインターバルを750 msと十分に空けることで、2つの独立した筋収縮反応が感じられます。刺激頻度が高くなれば減衰も発現しやすいこと、そしてこの2つ程度の刺激であれば、覚醒後も患者は神経刺激による痛みの訴えも少ないことがDBSのメリットでした。

TOFウォッチ®では、$DBS_{3,2}$モードがプリセットされていますが、$DBS_{3,3}$モードもセットアップメニューで選択できます。$DBS_{3,2}$モードのほうが減衰の検知率が高いとされていますが、減衰を過大評価する可能性も示唆されています[1]。それではTOFウォッチ®で

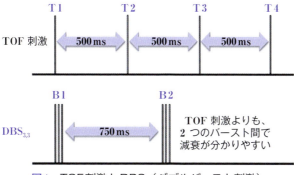

図1　TOF刺激とDBS（ダブルバースト刺激）

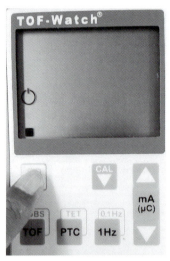
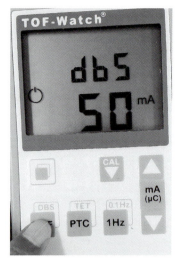

図2　第2機能ボタン　　　　　　図3　DBSの1回刺激

　DBSを実践してみましょう。まずは第2機能ボタンを押すと、画面左下に■マークがつきます（図2）。続いてTOF（DBS）ボタンを押せばDBSモードが1回与えられます（図3）。その後は20秒間休止時間が取られます。TOFウォッチ®SXでは、プログラム（P）ボタン機能をDBSにしなければなりません。まずはセットアップメニューを開いてから、Pボタン機能をDBSにセットしてください。その後は同様に第2機能ボタンを押したのち、PTC（P）ボタンを押してください。DBSはあくまで減衰があるかどうかの主観的評価に用いる刺激法ですので、TOFウォッチ®であってもディスプレイには減衰を表す数値は表示されませんので、ご注意ください。

　2つの筋収縮反応間に減衰が感じられれば、その際の母指内転筋でのTOF比は、いまだ＜0.6といえます[2]。つまりDBSは、TOF刺激時の減衰感知の限界であるTOF比0.4より、残存筋弛緩に対して鋭敏な刺激法となったのです。筋弛緩からの至適回復のgold standardがTOF比＞0.7の時代では、このTOF比0.6を保証できることは麻酔科医にとっては福音であったに違いありません。そのほかにも気管挿管時に声帯や横隔膜の動きが発現しないよう、至適深部遮断を母指で評価するのにDBSが用いられたりもしました[3]。簡易的なTOFウォッチ®などのモニターが普及したあとは、DBSはあまり使用されなくなりましたが、こんな刺激法もあることを知っておきましょう。

●文献
1) Engbaek J, Østergaard D, Viby-Mogensen J. Double burst stimulation (DBS)：A new pattern of nerve stimulation to identify residual neuromuscular block. Br J Anaesth 1989；62：274-8.
2) Drenck NE, Ueda N, Olsen NV, et al. Manual evaluation of residual curarization using double burst stimulation：A comparison with train-of-four. Anesthesiology 1989；70：578-81.
3) Ueda N, Muteki T, Tsuda H, et al. Determining the optimal time for endotracheal intubation during onset of neuromuscular blockade. Eur J Anaesthesiol 1993；10：3-8.

Q82 単収縮刺激の使い道は？

　臨床的にはTOF（train-of-four）刺激によるTOFカウントやTOF比が、筋弛緩の維持や回復の指標として有用であり、1Hzや0.1Hzのsingle stimulationは出る幕がありません。TOF反応の評価にはコントロールを要しないのに対し、単収縮刺激の場合は筋弛緩状態の判定にはコントロール値（100％）が必須となります。さらに非脱分極性筋弛緩薬投与後、単収縮反応値が100％に回復したとしても、その時点でTOF刺激などの連続刺激を与えるとまだ減衰しますので、単収縮反応の100％回復＝至適回復とはいえず、臨床的にも有用な指標とはなりません。この刺激は主に研究に用いられ、単収縮刺激は減衰反応を示しにくい脱分極性筋弛緩薬であるスキサメトニウムの筋弛緩評価や、非脱分極性筋弛緩薬の研究では、作用発現時間の計測やdose-response studyに利用されます。個人的には、staircase phenomenonの安定を早期に得るために、1Hz刺激をコントロール刺激として使用しています。

　0.1Hz単収縮刺激の方法ですが、研究に使用することを前提に解説します。まずは、

図1　第2機能ボタン

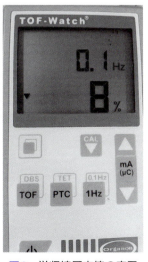

図2　単収縮反応値の表示

staircase phenomenonを安定させましょう（モニター編 Q71 Staircase phenomenonとは、どのような現象なの？　の項を参照）。反応安定後、単収縮反応を100％に設定する必要がありますので、キャリブレーションボタン❶を押してください。コントロール値設定後、第2機能ボタン❷を押し、1Hz/0.1Hzボタン❸を長押ししてください（図1）。これにより10秒ごとに刺激が繰り返されます。TOFウォッチ®の画面には、単収縮反応が％表示されます（図2）。

筋収縮反応が100％に回復しなかった場合のデータは、どう扱うの？

　研究をされている方ならお分かりでしょうが、TOFウォッチ®のような加速度感知型筋弛緩モニターのみでなく、筋張力型や筋電図型モニターにおいても、T1などの筋収縮反応が常にコントロール値にきっちり回復すること（図1）はまれで、100％に満たなかったり、オーバーしたりします。筋弛緩モニターに慣れた方がセッティングすればその誤差は減りますが、麻酔中の腕の位置の変化や体温・筋温変化によって容易にベースラインが変わってしまうのです。これをベースラインドリフトと呼んでいます。この場合、どのようにデータを扱ったらいいのでしょう？

　例えば図2のように、T1が最終的に50％ぐらいまでしか回復しなかった場合を考えてみましょう。研究内容にもよりますが、筋弛緩薬の作用持続時間を評価する場合、通常ですと筋弛緩薬投与時からT1がコントロールの10％とか25％に回復するまでの持続時間を観察します。あるいは回復性を評価する場合には、T1がコントロールの25％から75％に回復する時間、つまり回復指数を測定します。筋弛緩薬投与前にキャリブレーションし、T1を100％に設定後に筋弛緩薬を投与し、完全回復時にT1が100％に合致していれば、まったく問題ないのですが、回復が50％とするとどうでしょう？　T1が25％とか75％という時点は、最終回復のT1値を基準にノーマリゼーションしなくてはなりません。つまり、T1：50％を新ベースラインと見なさなければなりませんので、T1：25％は25×50/

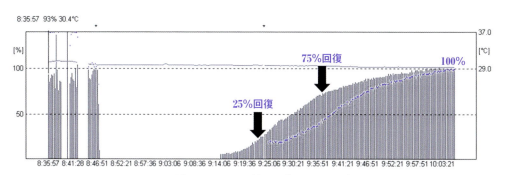

図1　T1がベースライン値に回復しているデータ

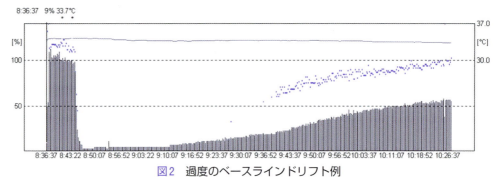

図2 過度のベースラインドリフト例

図3 データ解析可能と判断されるベースラインドリフト例

100＝12.5％の時点ということになり、T1：75％も同様に、75×50/100＝37.5％の時点で評価しなければなりません。図3は10％作用持続時間評価後、T1を10％に維持するよう筋弛緩薬を持続投与し、その投与速度を評価する研究での結果です。筋弛緩薬投与前のベースラインに合わせた10％に維持していたつもりですが、回復が80％にとどまった場合、その求めた10％維持のための筋弛緩薬投与量は、実際には8％維持量ということになります。

　これらの場合のデータの取り扱いは非常に悩ましいのですが、過度にベースラインがずれたケースは、データのばらつきを回避するために解析から除外すべきでしょう。ガイドラインによると、単収縮あるいはTOF（train-of-four）刺激時であればT1が100±20％内に回復したデータは最終回復値をもとにノーマリゼーションを行ったうえで解析すること、回復値がその範囲外であれば解析から除外し、論文中にベースラインドリフトで除外した旨を記載することが推奨されています[1]。研究立案時には、このベースラインドリフトで除外されるおおよその症例数を加えて、サンプルサイズを算出する必要があります。

　このベースラインドリフトをなるべく無視できる研究プロトコールを策定するのもいいでしょう。TOF比はT4/T1値で計算されるため、ベースラインが変化しても、T1からT4まで同率に変化するので、最終的にTOF比はコントロール値まで回復します（図2）。よって、TOFカウント2が得られた時点でスガマデクス2mg/kgを投与し、TOF比0.9までの時間を測定するという研究内容であれば、TOFカウント2という時点は不正確ではありますが、スガマデクスの迅速な回復性から見れば、多少のT1のずれがあっても、その回復時

間はあまり影響されないはずです。このように、なるべく解析除外例を少なくする工夫が必要ですが、一方dose-responseなどの、どうしてもT1値を指標にしなければならない研究の場合には、100±20％という回復値を厳密に守る必要があります。

●**文献**
1) Fuchs-Buder T, Claudius C, Skovgaard LT, et al. Good clinical research practice in pharmacodynamics studies of neuromuscular blocking agents II：The Stockholm revision. Acta Anaesthesiol Scand 2007；51：789-808.

神経刺激を長時間継続しても大丈夫？

15秒ごとのTOF（train-of-four）刺激を長時間継続して、神経障害が生じたという報告はありませんし、モニター使用頻度の高い私自身も経験がありません。ただ筋弛緩モニタリングを行う際、特に研究データ測定のために上肢を固定するときに留意していることがあります。それは上肢が内旋して、尺骨神経溝が手台に圧迫されることです。自分で試すとよく分かりますが、手術ベッドに横になり、手台に上肢を載せ、前腕を内旋し、肘部の尺骨神経溝を手台に当てたあと、しばらくすると手の外側部分が痺れてきます。神経刺激とは関係のないところで、尺骨神経圧迫による神経障害を起こし、筋弛緩モニタリングのせいにされかねません。前腕が内旋すると、母指につけたトランスデューサは図1のようにhanging状態になり、加速度モニタリングも不安定になってしまいますので、絶対に避けてください。

もうひとつ神経刺激に関わる合併症としては、熱傷に注意が必要です。これには乾燥した電極の使用や、電極と皮膚間に気泡が封入されることで、電気抵抗が上昇することに関連して生じます。抵抗が高いせいで、電流が皮下・神経に十分に到達せず、反応が小さければ、電流値を上げて対処するしかありません。電流は通電性の良い部分のみを通りますので、長時間刺激で熱傷を生じる危険があります。電極は新しい、包装されているものを使用し、皮膚に貼付する前に皮膚抵抗を下げるために、アルコール綿などでよく擦っておきましょう。体毛が密に生えている患者では、剃毛も考慮する必要があります。

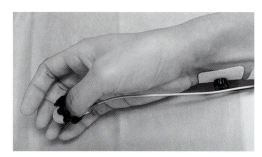

図1　前腕内旋によるトランスデューサのhanging

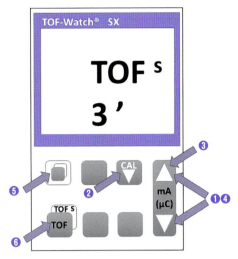

図2　スローTOFモードの設定と開始の方法

　長時間の連続刺激が気になる場合には、スローTOFモードを使用するのがよいでしょう。このモードはTOF刺激間隔を1〜60分の間で設定することができます。TOFウォッチ®SX特有の機能ですが、TOF刺激ボタンの第2機能に備わっています。本モードの操作法ですが、まず刺激間隔の設定が必要です。本機では3分にプリセットされています。もっと間隔を延ばしたい場合には、以下の操作を行います（図2）。

❶ 設定値増減ボタン（mAボタンの上下矢印ボタン）の両方を同時に押し、ディスプレイにセットアップメニューの項目を出します。

❷ キャリブレーション（CAL）ボタンを数回押し、スローTOFの設定項目である"TOF^S"の画面を出します。

❸ 設定値増減ボタンで数値を変更します。

❹ 再度、設定値増減ボタンの上下矢印ボタン両方を同時に押し、設定を完了してください。

実際にスローTOF刺激を開始する際は、

❺ まず第2機能ボタンを押し、❻ 続いてTOF（TOF^S）ボタンを押すと刺激が開始されます。設定した刺激間隔で継続されることを確認してください。

腕が使えないときは、どうするの？

下腹部の腹腔鏡手術などで両腕を体幹に密着させて行う手術の場合、筋弛緩モニタリングをどうされているでしょう？ 腕が使えないなら、術中は使用しないという方が大半かもしれません。腹腔鏡術野状態の良好性維持には、深部遮断が必要とのデータが集積してきているなか、非モニタリング状態でバッキングなどさせてしまったら目も当てられません。両腕をカバーされながらも、トランスデューサを通常どおりに装着したまま、あるいはハンドアダプタを用いて装着した状態でモニタリングを続ける方もいらっしゃるでしょう。ハンドアダプタを用いれば、TOF（train-of-four）カウントの有無程度は評価できますので、深部遮断の維持はある程度可能ですが、加速度を測定するモニターの性質上、トランスデューサを装着された母指が圧迫されている状態で、ディスプレイのTOF "0" という値が本当に正しいのかなと疑ってしまいます。術者による圧迫もそうですが、最初にキャリブレーションしたときと腕の位置が異なるわけですから、腕の位置を変更した時点で、すでにベースラインが不正確になっているのです。

こんなときは、顔面神経刺激による皺眉筋モニタリング（図1）が有用です。麻酔導入前に刺激電極とトランスデューサを装着しておく必要がありますが、皺眉筋なら麻酔導入時のマスク換気をしながら（図2）でも、モニタリングは継続可能です。母指と異なり、自分

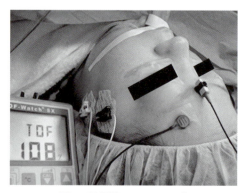

図1 皺眉筋モニタリング

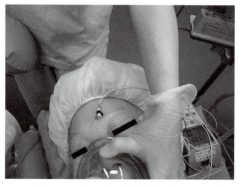

図2 マスク換気中の皺眉筋モニタリング

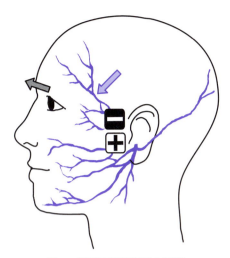

図3 顔面神経側頭枝を刺激

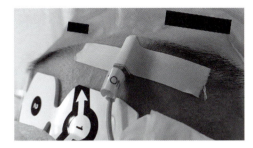

図4 粘着テープによるトランスデューサの固定
トランスデューサを立てて固定するのが難しい。

のすぐ傍の顔面筋ですから、トランスデューサの微調整やTOFウォッチ®の操作も、換気の手を瞬間的に休ませながら麻酔担当医が一人でも対応できます。手術中も外科医のお尻に邪魔だてされず、ストレスなくモニタリングができます。実際の方法ですが、以下のように進めます。

❶ 頰骨弓の上下に刺激電極を貼り、下部（顔面神経の中枢側）に陽極（＋：白）、上部に陰極（－：黒）刺激ケーブルを設置します（図3）。

❷ トランスデューサは刺激側の眉毛の内側か上部に縦に付けます。付属のアダプタに両面テープを貼り、そこにトランスデューサを装着すれば、自然とトランスデューサが立ち、収縮方向（眉間中央）に向かうように設置できます（図1）。アダプタがない場合には一般の粘着テープで代用します（図4）が、固定やトランスデューサの向き変更が容易ではありません。

❸ 麻酔を導入し、患者就眠後、刺激電流を25～30mAに設定し（筋のdirect stimulation予防のため）、まずCAL1モード〔TOFウォッチ®ならこのモードのみ内蔵、TOFウォッチ®SXならプリセットのCAL2からCAL1モードに変更が必要（モニター編Q65 TOFウォッチ®のキャリブレーションとは？ の項を参照）〕でキャリブレーションしてください。数秒で感度とT1値の調整が完了しますので、その後、引き続きTOFボタンを長押しすれば、15秒ごとにTOF刺激が継続されます。母指と違って、テタヌス刺激による反応安定化は必要ありません。

❹ この際に、筋の動く方向とトランスデューサの向きが一致していることをご確認ください。通常は眉間内側に動きますが、症例によっては上に動く場合もあります。あるいは大きく動く部位が眉毛上の場合もあります。収縮の向きや位置が大きくず

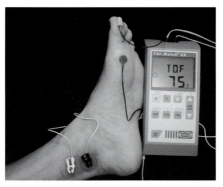

図5　脛骨神経刺激-母趾底屈反応

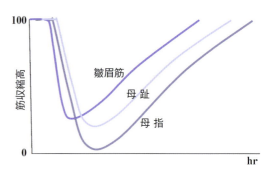

図6　各筋における筋弛緩推移の違い

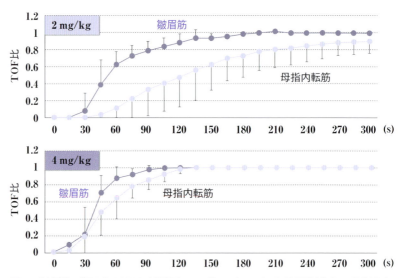

図7　皺眉筋でT1を10％に維持時のスガマデクスによる回復速度：母指内転筋との比較

皺眉筋で中等度筋弛緩の状態ではスガマデクスを4mg/kg投与しないと、その際に筋弛緩薬に感受性の高い深部遮断にある筋では十分な回復が得られない。

〔Yamamoto S, Yamamoto Y, Kitajima O, et al. Reversal of neuromuscular block with sugammadex : A comparison of the corrugator supercilii and adductor pollicis muscles in a randomized dose-response study. Acta Anaesthesiol Scand 2015 ; 59 : 892-901のデータをもとに作成〕

れている場合には、加速度測定が不正確になってしまいますので、筋弛緩薬投与前に修正してください。このためにもアダプタを用いて貼付しておくと修正は容易です。このあと、再度キャリブレーションしていただくと、感度を下げることができ、得られるデータもきれいになります。

❺ TOF刺激で安定した反応が得られるようであれば、筋弛緩薬を投与してください。

顔面筋も使えない場合、例えば頭頸部手術の場合には、下肢の脛骨神経刺激による母趾

の底屈反応をモニタリングする方法もあります（図5）。脛骨内果とアキレス腱の間に刺激電極を貼り、トランスデューサは母趾に直接粘着テープで貼ります。刺激電流は最大上あるいは50mAでキャリブレーションしてください。

　モニタリングをお示しした部位で駆使される場合に、各筋における筋弛緩薬の作用特徴（図6）をぜひ知っておいてください。作用発現は母指と比べ、皺眉筋で速く、母趾では遅くなります。回復に関しては皺眉筋がもっとも速く、続いて母趾、母指の順に回復します。皺眉筋における筋弛緩推移は横隔膜や喉頭筋と一致しますので、バッキングや吃逆予防、深部遮断維持に適しています。深部遮断の維持には、母指での評価ではポストテタニックカウント（post-tetanic count：PTC）を要しますが、皺眉筋ではTOF刺激のみで管理可能で、TOFカウントがある程度みられる際に追加投与すれば維持可能です。これは皺眉筋でTOFカウント2〜3ぐらいの際には、母指はいまだ深部遮断にあり、PTC≦5を示すためです。一方、至適回復を評価するには回復がもっとも遅い筋で行うべきですので、母指が適しています。皺眉筋モニタリング中にスガマデクスを用いて回復させる場合、もしTOFカウントが得られているような状態であれば4mg/kg、つまり母指における深部遮断時の至適量を投与すれば、回復の遅い母指でも至適回復が得られます（図7）[1]。スガマデクスの投与量も、皺眉筋と母指内転筋モニタリングでは、異なることに注意してください。

●文献
1） Yamamoto S, Yamamoto Y, Kitajima O, et al. Reversal of neuromuscular block with sugammadex：A comparison of the corrugator supercilii and adductor pollicis muscles in a randomized dose-response study. Acta Anaesthesiol Scand 2015；59：892-901.

重症筋無力症患者の筋弛緩モニタリングは、母指でいいの？

A　重症筋無力症（myasthenia gravis：MG）では、眼瞼下垂や眼輪筋などの顔面筋の筋力低下が頻発する症状となります。神経筋接合部シナプス後膜のアセチルコリン受容体に対する自己抗体により、受容体数が減少し、神経筋刺激伝達の安全域が低下するため、筋力低下、易疲労性が出現するわけですから、非脱分極性筋弛緩薬も眼輪筋で著効を示すことが予想できます。全身型のMG患者でも、四肢の筋力低下は主に近位筋に症状が出るため、末梢筋の母指内転筋機能は比較的維持され、母指内転筋と眼輪筋とで筋弛緩薬の効き方が乖離すると予想されます。当然、筋弛緩薬が効きやすい筋肉でモニタリングしたほうが至適回復を評価しやすいですから、眼輪筋での筋弛緩モニタリングは有用となります。顔面神経刺激による眼輪筋収縮をとらえるには、図1のように眉毛上部で、閉眼方向に加速度トランスデューサを設置する必要があります。

　健常な方での母指内転筋と眼輪筋における非脱分極性筋弛緩薬の効き方をご存じでしょうか？　眼輪筋は母指内転筋よりも神経筋接合部の数が多く、筋組成上、白筋（タイプ2、速筋）線維の比率が高いため、眼輪筋では非脱分極性筋弛緩薬の効果は弱くなります。よっ

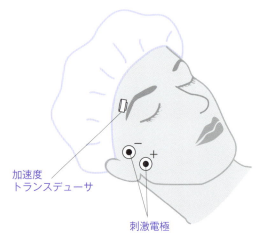

図1　眼輪筋モニタリングの設置

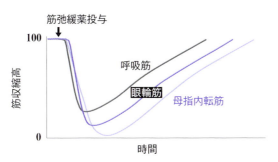
図2 健常者の眼輪筋における筋弛緩推移

て筋弛緩からの回復も速く得られ、イメージ的には図2のようになります。横隔膜などの呼吸筋では、非脱分極性筋弛緩薬はもっとも効きにくく、それに対して母指内転筋は効きやすいのですが、眼輪筋はその両者の間に入ります（注意：作用発現に関しては、中枢筋である呼吸筋や顔面筋は血流量が多いため速いのであって、非脱分極性筋弛緩薬に感受性が高いためではありません）。それではMG患者ではどうでしょう？ 母指内転筋と眼輪筋のこの関係が、MG患者ではまったく逆になるのです。当科で母指内転筋と眼輪筋モニタリングを同時に行ったMG患者での結果[1]をご紹介します。

　25歳の男性、Osserman分類ⅡBの患者さんで、胸腺摘出術が施行されました。その際、母指内転筋と眼輪筋で同時にTOFウォッチ®によるモニタリングを行いました。キャリブレーションの際、ロクロニウム投与前から眼輪筋ではTOF（train-of-four）刺激で減衰が認められ、コントロールのTOF比が0.68でした。母指内転筋ではTOF≒1でしたので、この時点で眼輪筋での筋弛緩効果が増大していることが予測されました。最初、ロクロニウム0.5 mg／kgを投与しましたが、作用発現時間は母指内転筋の75秒に比し、眼輪筋では45秒と速く遮断されました（先に説明した血流量の関係です）。50分後、母指内転筋ではTOFカウント2に回復しましたが、眼輪筋では0のままでした。ロクロニウム10 mg（0.17 mg／kg）を追加投与し、その後約20分の経過で母指のTOFカウントが2に回復するたびにロクロニウム10 mgを追加投与し、約6時間で総量150 mgを用いました。この間、眼輪筋ではTOFカウントは一度も計測されませんでした。母指で深部遮断時に、ポストテタニックカウント刺激を両筋に加えたのですが、母指でのカウントは14でしたが、眼輪筋では0と反応差がありました。母指でTOFカウント4（TOF比0.54）、眼輪筋で0の時点でスガマデクス2 mg／kgを投与したところ、TOF比0.9までの回復時間は、母指の60秒に比し、眼輪筋では375秒（コントロールTOF比0.68でノーマリゼーションし、0.61までの回復時間）と遷延しました。MG患者の眼輪筋は、健常者とはまったく異なる筋弛緩効果を示しますので、確実な神経筋回復をとらえるには眼輪筋モニタリングは有用となります。

●文献
1) Yamamoto M, Suzuki T. Neuromuscular blockade at the orbicularis oculi muscle in a patient with myasthenia gravis. J Clin Monit Comput. 2019 Nov 15. doi：10.1007/s10877-019-00422-9. Online ahead of print.

II モニター編

片麻痺患者では、どちら側でモニタリングすればいいの？

いい質問ですね。まずは片麻痺患者の肢位の問題があります。麻痺側の関節が拘縮していて肘関節が伸張しないなど、麻痺側でのモニタリングが困難な場合も多々あります。その場合は、当然、健側でのモニタリングになりますが、そもそも片麻痺患者の麻痺側と健側に対する筋弛緩薬の反応はどのように異なるのでしょう？ 別項（薬理編 Q57 スキサメトニウムは、どのように高カリウム血症を誘発するの？）をご参照いただきたいのですが、中枢神経損傷後、除神経により神経筋接合部が破壊されると、数日後には筋型アセチルコリン受容体は接合部から筋膜一面にわたって拡散し、成熟型とは性質の異なった幼若型受容体が増生（アップレギュレーション）します。麻痺側肢の筋群では受容体数が増えることに伴い、非脱分極性筋弛緩薬に対しては抵抗性を示すようになります。つまり図のように、健側に比べて麻痺側では、非脱分極性遮断が弱く、遅く発現し、筋弛緩からの回復は速いということになります。よって手術中に、より深い筋弛緩を得たい場合には、麻痺側でのモニタリングが有利となります。注意しなければならないのは、至適回復を評価する場合です。本来、健側は筋弛緩に対する反応は正常なのですが、麻痺側が健側よりも速く回復するため、"健側は回復が遅い"という表現になってしまいます。この回復が遅い健側で至適回復を評価しなければなりません。ここは重要なポイントですので、覚えておきましょう。

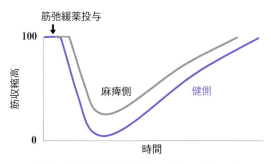

図1 片麻痺患者での筋弛緩効果の推移

片麻痺患者において、横隔膜などの呼吸筋も麻痺側での運動障害が認められますが、その障害側での筋弛緩薬に対する感受性の変化についてはデータがありません。推測するに、末梢筋と同様に麻痺側では、受容体のアップレギュレーションが生じているでしょうから、やはり非脱分極性筋弛緩薬に対して抵抗性を示すと思われます。もともと横隔膜は非脱分極性筋弛緩薬が効きにくい筋（薬理編 Q7 Respiratory sparing effectとは、どんな効果？　の項を参照）ですので、麻痺の影響により、さらに効きにくくなっているはずです。思っているよりもかなり早く、バッキングや自発呼吸が出てくるのでは？──研究してみたら興味深い結果が得られるかもしれません。

II モニター編

Q88 TOFウォッチ®以外のモニターは？

A 簡便かつ携帯可能で、記録も残せる、使い慣れたTOFウォッチ®の販売終了は、非常に残念でなりません。臨床モニターとしてのみではなく、研究用モニターとしての汎用性も高かったので、今後どうして暮らしていこうかと頭が真っ白になった時期もありました。現在はまだ機能していますので、今しばらくは使えますが、そろそろ次への転換も必要となってきました。現在のところ、NMT®（図1）、TOFカフ®（図2-a, b）、筋弛緩モデュール®〔加速度感知型および電位感知型（筋電図型）、図3〕が臨床使用可能です。

NMT®は、圧電気感知型モニターであり、板状のひずみを感じる圧電気センサーを母指

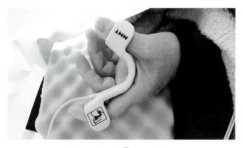

図1 NMT®モニター

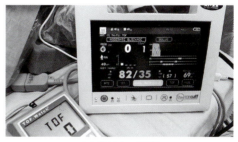

(a) モニター画面

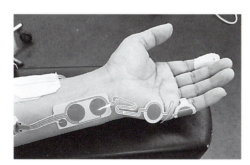

図3 電位感知型モニター電極：尺骨神経刺激下の小指外転筋活動電位測定

(b) カフセンサー

図2 TOFカフ®

と示指の間に密着させ、TOFウォッチ®と同じように刺激電極を介して尺骨神経を刺激し、母指内転筋の収縮を測定します。測定指が固定されるため、前腕を固定しなくとも筋収縮反応が安定して得られやすいのですが、ほかの神経-筋ユニットには応用できず、外力や体動に測定値が影響されやすいのが欠点です。

TOFカフ®は、血圧計マンシェットに神経刺激電極と圧センサーが内蔵されたカフセンサー（図2-b）を上腕あるいは下腿に巻くだけでよいため、血圧測定と同時に、簡易的に筋収縮反応を導出できるのが利点です。刺激電極部分を尺骨神経溝に当てて巻くのですが、おそらく尺骨神経のみでなく正中神経やそのほかの腕神経叢の神経枝も同時に刺激されるものと思われます。神経刺激時には、カフは血流を阻害しない程度に加圧され、上腕筋や下腿筋が収縮した際の動きをカフにかかる圧変化としてとらえます。上腕以外には、足関節上の脛骨神経刺激が可能です。

これらのモニターで測定されるデータは、筋弛緩モニターとしてもっとも推奨される筋張力感知型モニターで測定されるデータとまったく同じとはいえませんが、それはTOFウォッチ®など加速度感知型モニターについても同様であり、ポストテタニックカウントやTOF（train-of-four）比の回復を簡易に評価できる点で臨床モニターとしては非常に有用です。上肢を軀幹に密着させるような体位や、側臥位や腹臥位などへの体位変換時にも測定可能です。ただし、研究用として使用するにはエビデンスが十分でなく、今後の調査が必要となるでしょう。

筋弛緩モジュール®は日本光電から販売されているもので、そのうち加速度感知型はTOFウォッチ®SXと同等の性質を持つモデルです。そのためTOFウォッチ®を使い慣れている方は馴染みやすいと思います。しかし単体機ではなく、日本光電の生体監視モニターに接続して使用するため、どの施設でも使用可能というわけではありません。もう一つの筋電図方式のモジュール（図3）も同様ですが、電位感知型という点で世界的にも期待され、今後の普及が見込まれています。筋膜の複合活動電位を測定しますが、興奮収縮連関（薬理編Q2興奮収縮連関とは？　の項を参照）が成立するように、筋膜電位と筋力は相関します。よって、筋弛緩モニターのゴールドスタンダードである力感知型モニターと、データの互換性が非常に良いのが特徴です。つまり研究用途にも優れているといえます。尺骨神経刺激の場合には、母指内転筋のみでなく、小指外転筋などをモニターすることも可能で、体位変換にも適しています。欠点としては筋電図ですので、測定部位の筋や皮膚の温度変化により測定電位が変わり、皮膚温低下により振幅が増大する可能性はあります。また、電極がディスポのため、購入費がかかることも欠点になるでしょう。

今後、ほかにも単体機の3D加速度モニターや筋電図型モニターの登場が期待されています。

索引

和文

【あ】

アクチン　5
アグリン　141
アセチルコリン　3
アセチルコリンエステラーゼ　15,19,123
アセチルコリン受容体　4,126
アップレギュレーション　47,142,211
アトラクリウム　21,60
アトロピン　95,130
アナフィラキシー　108,111
安全域　4,7,32,77

イオンチャネル　4
陰圧性肺水腫　114,117

運動単位　159

エドロホニウム　93,123

横隔膜　18,39,17,94
オトガイ舌筋　114

【か】

開口分泌　3
回復時間　180
回復指数　86,180
下肢挙上　89
加速度感知型モニター　175
片麻痺　141,211
カチオン-π（中間子）相互作用　11
カリウム　87
カルシウム　87

肝血流量　52
肝硬変　70
肝切除　75
眼輪筋　208

気管挿管スコア　39
偽性コリンエステラーゼ　58
客観的モニター　189
キャリブレーション　161,169,199
急性呼吸促迫症候群　48,79
吸入麻酔薬　64,81
競合　16,93,124
局所麻酔薬　82,83
筋血流量　27
筋硬直　37,41
筋弛緩深度　44
筋小胞体　5
筋線維束攣縮　22
筋張力感知型モニター　175
筋電図　62
筋の直接刺激　171,159
筋無力症クリーゼ　127

矩形波　163
クラーレ　18,24,139
クリアランス　52,71,72

頸動脈体　117

血液脳関門　21,62,65,129
血管外漏出　25
血管痛　35
減衰　54,189

索引

減衰反応　12

高カリウム血症　47,141
咬筋　39
抗痙攣薬　48
抗コリンエステラーゼ　15,93,119,123
交差反応　108,112
喉頭筋　39
喉頭痙攣　37
高二酸化炭素性換気応答　118
硬膜外麻酔　83
高齢者　52
誤嚥　116,126
呼吸運動遺残効果　18
呼吸筋　18,134
呼吸性アシドーシス　135,136
コリン作動性クリーゼ　16

【さ】

再クラーレ化　58,96,123,134,136
最小肺胞濃度　64
再挿管　131
最大吸気圧　89
最大刺激　159
最大上刺激　160,161
臍帯静脈血/母体静脈血濃度比　67
サブユニット　10
作用持続時間　52,92,179
作用発現時間　27,30,52,179,183
サルコペニア　53
残存筋弛緩　92,114

刺激幅　163
シスアトラクリウム　60,79
シナプス小胞　3

シナプス反射　21
ジヒドロピリジン受容体　5
重症筋無力症　103,126,208
終板電位　4
手術環境　44
術後せん妄　129
上気道閉塞　114,117
小児　54
上部食道括約筋　115
神経終末　3,29
心室細動　141
迅速気管挿管　34,36,126
迅速導入　32
心拍出量　27,30,52
心不全　103
腎不全　68,101,103

皺眉筋　204
スガマデクス　31,53,55,58,68,96,99,101,
　　103,106,109,111,120,126,129,131
スキサメトニウム　22,34,47,53,54,58,60,
　　68,108,111,141
スローTOFモード　203

静電作用　11
声門閉鎖　37
舌圧子テスト　90
赤筋　18
舌根沈下　89,114
全か無の法則　159

【た】

体型指数　57
代謝物　72
胎盤　67

索引

タイミングプリンシプル　35
脱感作性ブロック　15,94,126
ダブルバースト刺激　195
単収縮刺激　191,197

蓄積性　72
中枢性筋弛緩薬　21
貯蔵型小胞　12

低酸素性換気応答　118
低体温　177
定量式モニター　189
テタヌス刺激後増強　157,186
テトロドトキシン　148
電位感知型モニター　175
電気痙攣療法　68
電気抵抗　155,160
天井効果　94

動員　12
糖質コルチコイド　104
頭部挙上　89
トレミフェン　105
トロポニン　5
トロポミオシン　5

【な】

ニコチン性アセチルコリン受容体　10, 47,141
妊婦　60

ネオスチグミン　93,119,123,130
熱傷　47,141
ネルンストの式　87

濃度勾配　28,99
脳波モニター　62
ノーマリゼーション　175,199

【は】

白筋　18
バルサルバ法　89
パンクロニウム　10,21,25,77,140

皮下投与　25
微小終板電位　3
ヒスタミン遊離作用　139,144
皮内テスト　111
皮膚温　177
肥満　57

フェーズ2ブロック　126
フェード　12,157
腹腔鏡手術　44
複視　90
腹膜炎　43,48
腹筋　41,41
不動化　47
プライミング　32
プリングル法　75
フルストマック　34,35,126
プレキュラリゼーション　34
ブンガロトキシン　148

ベースラインドリフト　199
ベクロニウム　10,21,28,72
ベンジルイソキノリン系　71,143

放出型小胞　12
包接　96,99,131

母指内転筋　18,41,134
ポストテタニックカウント　44,47,52,186
ボツリヌストキシン　148
ホフマン分解　60,143

【ま】

マグネシウム　87
マスク換気　37
末梢性筋弛緩薬　21,65
麻痺　47

ミオシン　5
三つ組構造　5
ミバクリウム　60

ムスカリン作用　94

【や】

4級アンモニウム　108,111

【ら】

ラウダノシン　21

リアノジン受容体　5
リドカイン　35
輪状軟骨圧迫　36

ロクロニウム　11,28,30,32,35,52,54,57,60,
　68,70,72,77,99,108,111,126,131

欧　文

acetylcholine receptor inducing activity　141
acquired weakness　79
active zone　3
A型ボツリヌス毒素　148
α_1酸性糖タンパク　43,48
body mass index　57
buffered diffusion　29
calabadion　146
deep block　44
direct stimulation　156,159,171
d-ツボクラリン　11,24,138
ECT　68
Henderson-Hasselbalch　24
iceberg theory　135
ICU　79

intense block　44
Kounis syndrome　110
laudanosine　144
MAC　64
moderate block　44
recurarization　96,134
respiratory sparing effect　8,18,114,
　181
shallow block　44
staircase phenomenon　162,173,191
TOFカウント　41,44,58,94,96
TOF減衰　127
TOF刺激　157,191
TOF比　58,55,86,90,92,96,103,114,117,
　122,127,134,176,191,193
T細管　5

Clear Q & A 88　筋弛緩薬を知りつくす—改訂第2版—	
2017年2月1日	第1版第1刷発行
2019年12月1日	第1版第2刷発行
2020年9月9日	改訂第2版第1刷発行

定価（本体 5,900 円 + 税）

　　　　　著　者　鈴　木　孝　浩
　　　　　発行者　今　井　　　良
　　　　　発行所　克誠堂出版株式会社
　　　　　〒113-0033　東京都文京区本郷 3-23-5-202
　　　　　電話（03）3811-0995　振替 00180-0-196804
　　　　　URL　http://www.kokuseido.co.jp
　　　　　印　刷　株式会社新協

ISBN978-4-7719-0538-2　C3047　￥5900E
Printed in Japan ©Takahiro Suzuki, 2020

・本書の複製権・翻訳権・上映権・譲渡権・公衆送信権（送信可能化権を含む）は克誠堂出版株式会社が保有します。
・本書を無断で複製する行為（複写, スキャン, デジタルデータ化など）は，「私的使用のための複製」など著作権法上の限られた例外を除き禁じられています。大学, 病院, 診療所, 企業などにおいて，業務上使用する目的（診療, 研究活動を含む）で上記の行為を行うことは, その使用範囲が内部的であっても, 私的使用には該当せず, 違法です。また私的使用に該当する場合であっても，代行業者等の第三者に依頼して上記の行為を行うことは違法となります。
・ JCOPY ＜（社）出版者著作権管理機構　委託出版物＞
　本書の無断複写は著作権法上での例外を除き禁じられています。複写される場合は, そのつど事前に（社）出版者著作権管理機構（電話 03-5244-5088, Fax 03-5244-5089, e-mail：info@jcopy.or.jp）の許諾を得てください。